深山中的一盞明燈

夢參老和尚生於西元一九一五年，中國黑龍江省開通縣人。年少輕狂，個性機靈、特立獨行，年僅十三歲便踏入社會，加入東北講武堂軍校，自此展開浪漫又傳奇的修行生涯。

隨著九一八事變，東北講武堂退至北京，講武堂併入黃埔軍校第八期，但他未去學校，轉而出家。

他之所以發心出家是因爲曾在作夢中夢見自己墜入大海，有一位老太太以小船救離困境。這位老太太向他指示兩條路，其中一條路是前往一棟宮殿般的地方，說這是他一生的歸宿。醒後，經過詢問，夢中的宮殿境界就是上房山的下院，遂於一九三一年，前往北京近郊上房山兜率寺，依止修林和尚出家；惟修林和尚的小廟位於海淀藥王廟，就在藥王廟剃度落髮，法名爲「覺醒」。

但是他認爲自己沒有覺也沒有醒，再加上是作夢的因緣出家，便給自己取名爲「夢參」。

當時年僅十六歲的夢參法師，得知北京拈花寺將舉辦三壇大戒，遂前往依止全朗和尚受具足戒。受戒後，又因作夢因緣，催促他南下九華山朝山，正適逢六十年舉行一次的開啓地藏菩薩肉身塔法會，當時並不爲意，此次的參訪地藏菩薩肉身，卻爲他日後平反出獄，全面弘揚《地藏三經》法門，種下深遠的因緣。

在九華山這段期間，他看到慈舟老法師在鼓山開辦法界學苑的招生簡章，遂於一九三二年到鼓山湧泉寺，入法界學苑，依止慈舟老法師學習《華嚴經》與戒律。

鼓山學習《華嚴經》的期間，在慈舟老法師的親自指點下，日夜禮拜〈普賢行願品〉，開啓宿世學習經論的智慧；又在慈老的教導下，年僅二十歲便以代座講課的機緣，逐步成長爲獨當一面，口若懸河，暢演《彌陀經》等大小經論的法師。

法界學苑是由虛雲老和尚創辦的，經歷五年時間停辦。學習《華嚴經》圓滿之後，夢參法師又轉往青島湛山寺，向倓虛老法師學習天臺四教。

在青島湛山寺期間，他擔任湛山寺書記，經常銜命負責涉外事務。曾赴廈門迎請弘一老法師赴湛山，講述「隨機羯磨」，並做弘老的外護侍者，護持弘老生活起居半年。弘一老法師除親贈手書的〈淨行品〉，並囑托他弘揚《地藏三經》。

當時中國內憂外患日益加劇，日本關東軍逐步佔領華北地區，在北京期間，以善巧方便智慧，掩護許多國共兩黨的抗日份子幸免於難。一九四〇年，終因遭人檢舉被日軍追捕，遂喬裝雍和宮喇嘛的侍者身份離開北京，轉往上海、香港；並獲得香港方養秋居士的鼎力資助，順利經由印度，前往西藏色拉寺依止夏巴仁波切，學習黃教菩提道修法次第。

在西藏拉薩修學五年，藏傳法名爲「滾卻圖登」；由於當時西藏政局產生重大變化，排除漢人、漢僧風潮日起，遂前往青海、西康等地遊歷。一九四九年底，在夏巴仁波切與夢境的催促下離開藏區。

此時中國內戰結束，國民黨退守台灣，中華人民共和國在北京宣布成立。一九五〇年元月，正值青壯年的夢參法師，在四川甘孜時因不願意放棄僧人身份，不願意進藏參與工作，雖經過二年學習依舊不願意還俗，遂被捕入獄；又因在獄中宣傳佛法，被以反革命之名判刑十五年、勞動改造十八年，自此「夢參」的名字隱退了，被獄中各種的代號所替換。

他雖然入獄三十三年，卻也避開了三反五反、文革等動亂，並看盡眞實的人性，將深奧佛法與具體的生活智慧結合起來；爲日後出獄弘法，形成了一套獨具魅力的弘法語言與修行風格。

時年六十九歲，中央落實宗教政策，於一九八二年平反出獄，自四川返回北京落户，任教於北京中國佛學院；並以講師身份講述〈四分律〉，踏出重新弘法的第一步。夢老希望以未來三十三年的時間，補足這段失落的歲月。

因妙湛等舊友出任廈門南普陀寺方丈，遂於一九八四年受邀恢復閩南佛學院，並擔任教務長一職。一方面培育新一代的僧人，一方面開講《華嚴經》，講至〈離世間品〉便因萬佛城宣化老和尚的邀請前往美國，中止了《華嚴經》的課程。

自此在美國、加拿大、紐西蘭、新加坡、香港、臺灣等地區弘法的夢老，開始弘揚世所罕聞的《地藏三經》：《占察善惡業報經》、《地藏經》、《地藏十輪經》與〈華嚴三品〉，終因契合時機，法緣日益鼎盛。

夢老在海外弘法十五年，廣開皈依、剃度因緣，滿各地三寶弟子的願心。夢老所剃度的弟子，遍及中國大陸、臺灣、香港、加拿大、美國等地區。他並承通願法師之遺願囑託，鼎力掖助她的弟子，興建女眾戒律道場；同時，順利恢復雁蕩山能仁寺。

年屆九十，也是落葉歸根的時候了，夢老在五臺山度過九十大壽，並勉力克服身心環境的障礙，在普壽寺開講《大方廣佛華嚴經》（八十華嚴），共五百餘座圓滿，了卻多年來的心願。這其間，又應各地皈依弟子之請求，陸續開講〈大乘起信論〉、《大乘大集地藏十輪經》、《法華經》、《楞嚴經》等大乘經論。

夢老在五台山靜修、說法開示，雖已百歲高齡，除耳疾等色身問題外，依舊聲如洪鐘，法音攝受人心；在這期間，除非身體違和等特殊情形，還是維持長久以來定時定量的個人日課，儼然成爲深山中的一盞明燈，常時照耀加被幽冥眾生。

二〇一七年十一月二十七日（農曆丁酉年十月初十申時），圓寂於五台山眞容寺，享年一〇三歲。十二月三日午時，在五台山碧山寺塔林化身窯荼毗。

夢參老和尚出家八十七載，一本雲遊僧道風，隨緣度眾，無任何傳法舉措，未興建個人專屬道場。曾親筆書寫「童貞入道、白首窮經」八字，爲一生的求法修行，作了平凡的註腳。

公元二〇一八年　方廣編輯部修訂

大乘大集地藏十輪經

懺悔品、善業道品

第五

夢參老和尚　主講

大乘大集地藏十輪經

夢參老和尚主講

懺悔品第五

「爾時世尊說是頌已，於眾會中有無量百千眾生曾誤聞法，謬生空解，撥無因果，斷滅善根，往諸惡趣。聞說此經，還得正見，即從座起，頂禮佛足，於世尊前，深生慚愧。至誠懺悔，合掌恭敬而白佛言：大德世尊，我等本在聲聞乘中，曾種善根，未能成熟聲聞乘器，後復遇聞獨覺乘法，迷惑不了，便生空見，撥無因果。由是因緣，造身語意無量罪業，往諸惡趣，我等今者於世尊前，聞說此經，還得正見，深心慚愧，發露懺悔，不敢覆藏，願悉除滅。從今已往永不復作，防護當來所有罪障。唯願世尊哀愍攝受，令我等罪皆悉銷滅，於當來世永不更造。唯願世尊哀愍濟拔我等當來惡趣苦報，我等今者還願受行先所修集聲聞乘行，唯願世尊哀愍教授。」

佛一說法，就去除了與會大衆的痛處。佛爲什麼說這些法？這是對機說法的。因爲在大集會裡有些人謬生空解，過去就犯了這個錯誤。「撥無因果，斷滅善根」了，所以往諸惡趣，墮到三惡道。現在「聞說此經」，聽到佛說《大集十輪經》，「還得正見」，又恢復他的正見了。即從座起頂禮佛足，於世尊前，深生慚愧、懺悔。

這是第五品，「懺悔品」。我們讀這段經文的時候，想想自己有沒有犯這個錯誤？有的話，你就隨喜懺悔一下；沒有，你可以不要隨喜。不過，大家一定會犯錯的，或多或少而已，這都是懺悔的。他們頂禮佛足，就懺悔了。

「合掌恭敬而白佛言」，恭敬「大德世尊」，「我等本在聲聞乘中，曾種善根」，修過道，但是沒有成熟聲聞乘的根器，沒有證道，沒有成果。「後復遇獨覺乘法」，就迷惑了，生了空見。一生了空見，就「撥無因果」，不信善惡的果報。由於這個因緣，造了「身語意無量罪業」，做了很多的錯事。做了錯，就墮到惡趣。我們現在在世尊前，「聞說此經」，才恢復了正見。「深心慚愧」，就是感覺過去做的不對，現在向世尊發露懺悔。「不敢覆藏」，請求世尊證明，「願悉除滅」我這個罪。在世尊前懺悔完了，就除滅掉了。「從今以往永不復作」，再不做這個罪了，再不墮惡見了。「防護當來所有罪障」，我懺悔完了，將來這個罪障再來了，我就認識他了，不會再墮落了。

「唯願世尊哀愍攝受，令我等罪皆悉銷滅」，現在我們向佛懺完了，這是佛加持我們，令我們消滅這個罪之後，「於當來世永不更造」，再不造這個罪。「唯願世尊哀愍濟拔我等當來惡趣苦報」，如果我不懺悔，將來一定受這個果報。「今者還願受行先所修集聲聞乘行」，他就是聲聞乘的根器。他說，現在不羨慕獨覺乘了，還要修行聲聞法。「唯願世尊哀愍教授」，請佛再給我們說一說聲聞法。

「世尊告曰：善哉善哉，汝等乃能如是慚愧發露懺悔。於我法中，有二種人名無所犯，一者稟性專精，本來不犯。二者犯已慚愧，發露懺悔。此二種人，於我法中，名爲勇健得清淨者。於是世尊隨其所樂，方便爲說四聖諦法，於彼衆中，有得下品忍者，有得中品忍者，有得上品忍者，有得世間第一法者，有得預流果者，有得一來果者，有得不還果者。於中復有八萬四千苾芻，諸漏永盡，心得解脫，意善清淨，成阿羅漢，歡喜禮佛，還復本座。」

佛就告誡說：「善哉善哉」，很好。「汝等乃能如是慚愧發露懺悔」，照你們這樣的慚愧發露，你們要認識到在佛法之中，「有二種人名無所犯」，也就是清淨的。「一者稟性專精」，他的性情守戒守的很好，專精持戒，本來就不犯。「二者犯已慚愧」，犯了戒，生起慚愧心，「發露懺悔」，也就清淨了。這「二種人於我法中名爲勇健得清淨者」，一切罪惡都懺清淨了。

「於是世尊隨其所樂」，他的心在樂什麼？「方便爲說四聖諦法」，四聖諦法就是苦集滅道、兩重因果，集就是世間的因，苦就是世間的果；道就是出世間的因，滅就是出世間的果。出世間的因，出世間的果，修道就可以出離了。經佛這麼一說，於此會中「有得下品忍者，有得中品忍者，有得上品忍者，有得世間第一法者」，這個叫「煖、頂、忍、世第一」四位，就證了初果，修行得了煖氣。剛修行的時候，一點煖氣都沒有，也就是入門入不了。能夠進入，或者定也好，或者讀誦大乘也好，或者有種欣樂感，這就是「下忍」。

「中忍」，又進了一步。「頂」，可以說是能夠接受了。完了，到了「世第一」位，在世間法，這是頂點。完了，就是出世間了，出世間就證初果。

證初果就是出世間法。

這是屬於小乘的一切位子。「有得預流果者」，進一步成了道。預流果就是初果，預聖人之流，小乘的預流，大乘的信位就入預流。有得一來果者，一來果就是二乘，前面是須陀洹，這是斯陀含；有得不還果者，是阿那含，就是三果。

「於中復有八萬四千苾芻」，前面沒有說數字，是指很多的意思。在這個大衆當中，還有八萬四千出家人，披赤袈裟的，「諸漏永盡」，再不受三界的輪迴，就證得阿羅漢果。「諸漏永盡，心得解脫」，見思惑一斷，心得解脫了。「意善清淨，成阿羅漢，歡喜禮佛，還復本座」，這些衆生都很歡喜，因爲他們脫離苦海，懺悔了，也清淨了。

讀大乘經典，就超過「煖、頂、忍、世第一」，超過聲聞乘。但是斷惑不如聲聞乘，新發意菩薩一發菩提心，就超過他們。雖然是在凡夫位，但是可以做菩薩的事，無論弘法、修道、利益衆生，觀想的時候，出發點不是爲了自己，一切都是爲了他人，做錯了，問題也不大。若是爲了自己，雖然你做的很對，很美滿，可是夾雜著名利，問題就很大，你並沒有得到好處。

「時眾會中復有五十七百千那庾多眾生，曾誤聞法，謬生空解，撥無因果，斷滅善根，往諸惡趣。聞說此經，還得正見，即從座起，頂禮佛足，於世尊前，深生慚愧，至誠懺悔，合掌恭敬而白佛言：大德世尊，我等本在獨覺乘中曾種善根，未能成熟獨覺乘器，後復遇聞說大乘法，雖生愛樂，而不能解，愚冥疑惑，便生空見，撥無因果。由是因緣，造身語意無量罪業，乘此業緣，於無量劫墮諸惡趣，受種種苦，楚毒難忍。我等今者於世尊前，聞說此經，還得正見，深心慚愧，發露懺悔，不敢覆藏，願悉除滅。從今已往永不復作，防護當來所有罪障。唯願世尊哀愍攝受，令我等罪皆悉銷滅，於當來世永不更造。唯願世尊哀愍濟拔我等當來惡趣苦報，我等今者還願受行先所修集獨覺乘行，惟願世尊哀愍教授。」

這一品是屬於〈懺悔品〉。當時參加法會那麼多的大眾，在這個大集當中，來集會的份子很複雜，有無量無邊的眾生。前面開始講的時候，就是聞法了，可是不恭敬三寶，乃至於聞法生了誤解的，這個誤解都是指空性說的，惡趣空。有的人聞到《金剛經》，聽講《金剛經》，講一切都是空的，他就什麼也不學了，就去造惡業了。善業空了，可是惡業不空，就造了很多的罪。在這會中，前面講的是聲聞乘，這裡講的是獨覺乘。

在這集會裡有好多眾生？有五十七百千那庾多，就是有五十七百千的十兆數眾生。他們同時起來聞法，向佛請求懺悔。由於過去誤聞法，誤聞法並不是指說法錯了，而是他理解錯了；其實也不是他理解錯了，而是他過去沒有那麼多的善根，承受不了，生起一種錯誤的空見，這種空見很難破除的。如果是生起有見，這種罪業好斷；生起空見，這種罪業就不好斷。因爲生起有見的時候，他還是相信因果，執著因果；不過，兩者都是不對的。佛經上也講，有很多罪業是不通懺悔的。我們前生做了因，今生一定要報。有些錯誤的說法，認爲這是不通懺悔的，這個罪永遠帶著，一定會下地獄，這是錯誤的有見。

上面是說有兩種人，一種是稟性專精的，他根本不犯；一種是犯了他慚愧，慚愧懺悔了，也是勇猛的，也是勇健的。我說這兩種人都是清淨的。

誤聞法，堅持不肯懺悔，沒有慚愧。現在很多學佛法的人，你跟他說，你走的那條道路是不對的，你可以拿佛所說的聖教量，聖人教導我們的，對比一下，你就知道是不是對的。但他不肯改正，認爲自己是對的，他執著某一點說，這是某某經上說的，不會錯，經上說的一切諸法皆空，《金剛經》就是這樣講的。但那個空義是什麼義？他並沒有領會到，也就是聞法生起誤解，對空的理解錯誤了。

舉《金剛經》爲例子，教導二乘人所住的涅槃，所證得的空理，不是究竟的；那個空義也是從他修因契果得來的，不是沒有因果的。特別是在中國的禪宗，有人學了就誤解了，他把參禪的明心見性，錯解成是什麼都不用學，乃至於不相信因果，只要明心見性就好了。見不到性，怎麼辦呢？你造的罪一樣要受報的。這些人是聞法之後，能夠糾正他們的錯誤。過去，因爲聞了這個法，把空理解錯了。

「撥無因果」，斷滅善根，就做惡吧！做惡了，自然是就受惡報。現在我們在這個法會當中，聽到佛說《大集十輪經》，現在明白了，就恢復正見。以前有正見了，後來經由惡友的引導，或者誤信別人的話，才失掉正見。這些人有多少呢？有五十七百千十兆那麼多人，從座而起，向佛頂禮，在世尊前深生慚愧，至誠懺悔。

懺悔什麼？我們過去是修獨覺乘法的，種有善根的；但是未能成道，未能成熟獨覺乘的法器，也就是沒有證得獨覺乘的覺悟。後來聽到大乘法，就生起歡喜信樂，求大乘，但是不能解。大乘的義理，沒有理解透，愚冥疑惑。愚冥就是沒有智慧，在黑暗當中，疑惑本身就好似在黑暗當中。現在我們有很多的懷疑，學法的最大障礙，就是疑，信不進去。學什麼都得要有信，有信才能夠產生解，解就是理解，就是學，你要修哪一法，先把這個法弄清楚，修持的次第，怎麼樣用功，怎麼樣觀想。

你懂了修行次第，就不會走錯路。像我們要到某一個地方，你必須熟悉朋友家的道路，不熟，人家在南方，你卻開車往北方去，這樣永遠也走不到，越走越遠。你必須熟悉那個法所說的涵義是什麼？要是誤解了，大乘的空不是惡趣空，它是智慧，像你學《心經》，觀自在菩薩行深般若波羅蜜多時照見五蘊皆空，色受想行識都不存在，也沒有什麼是善，也沒有什麼是惡。你要是行惡，就違背法性了，空，你永遠也達不到。要是行善，漸漸漸漸的對善也不執著，你就入得那個空義。沒有理解得到這個，叫撥無因果。

由於這個撥無因果的因緣，他的身語意十惡業造的很多，造無量罪。乘著這個造業的緣，無量劫來墮在惡趣，就墮入三惡道。惡趣是指三惡道，受了很大的苦處。那種苦處很難忍受，苦毒就是所受的刑罰。現在我們聽到佛這麼樣說，我們恢復我們的知見，覺悟到是我們以前不對，懺悔發露我們所做的罪惡，不敢再覆藏下去。

願世尊加持我們，都除滅掉，以後就不再這麼做，永不復造；使未來的罪障得到防護，再不會犯了。以前做過的，唯願世尊哀愍濟拔，救護我們。救度我們不再受惡趣的苦報。濟拔我們未來惡趣的苦報，現在我們還發願「受行先所修集獨覺乘行」，學習因緣法。「惟願世尊哀愍教授」，現在我們都忘了因緣法，還得請佛重新教誡我們。

「世尊告曰：善哉！善哉！汝等乃能如是慚愧發露懺悔，於我法中，有二種人名無所犯，一者稟性專精，本來不犯。二者犯已慚愧，發露懺悔。此二種人，於我法中，名爲勇健得清淨者。於是世尊隨其所樂，方便爲說諸緣起法，令彼一切修緣覺乘漸次圓滿，皆悉證得幢相緣定，於獨覺乘得不退轉，歡喜禮佛還復本座。」

「世尊告曰，善哉！善哉！」你們說的很好，有懺悔心就很好。「汝等乃能如是慚愧發露懺悔」，慚愧自己所做的事情，懺悔就是改過，把以前做的改了。悔，以後再不要這樣做了。

「於我法中有二種人名無所犯，一者稟性專精，本來不犯，二者犯已慚愧，發露懺悔。」在這「二種人於我法中，名為勇健得清淨者」，懺悔完了，還是清淨的。

他請求世尊給他們說因緣法。這一段經文，沒有詳細說，只是略說的。世尊就「隨其所樂」，根據他所信樂的，方便給他說諸緣法。獨覺乘跟緣覺乘，有佛在世的時候，就叫緣覺，無佛在世的時候，就叫獨覺，獨自的觀照一切事物生住變化。為什麼這朵花會開？研究它的緣，要是講十二因緣，就是無明緣行、行緣名色，他所說的緣起法，是初步的緣起法，而大乘的性空緣起，那是大乘的緣起。那個緣起，他要是理解錯了，就變成了斷滅空，撥無因果，因為不知道大乘是從漸次而來的，因此佛說緣起法，令他修緣覺乘。

「漸次圓滿」，才能夠證道。「皆悉證得幢相緣定」，於緣起中修定，於獨覺乘，他就不退轉，「歡喜禮佛還復本座」。

「時眾會中復有八十百千那庾多眾生，曾於過去諸佛法中，毀謗佛教，下至一頌。由是因緣，墮諸惡趣，受眾苦報，初復人身，生便瘖瘂，常患舌舲，口不能言。聞說此經，還得正見，即從座起，頂禮佛足，於世尊前深生慚愧，至誠懺悔宿世惡業，合掌恭敬，瞻仰世尊，佛神力故，皆悉能語。」

這個比前面的罪惡要大一些，「毀謗乃至於一頌」，或者毀謗得很少，由於這個毀謗的因緣，「墮諸惡趣，受眾苦報」。雖然苦報受盡了，也得了人身，生來的時候不能說話，「常患舌舲」，舌頭說不出話，音發不出來，口也不能言。這類人也參加這個法會，聞說此經還得正見，恢復他以前的正知正見。「即從座起，頂禮佛足，於世尊前深生慚愧，至誠懺悔宿世惡業」，他的宿世是什麼惡業呢？

「爾時世尊知而故問：汝等宿世作何惡業，今處眾中口不能語？彼諸人眾，俱時白佛，於中一類作如是言：大德世尊，我等往昔於毗鉢尸如來法中，或言毀謗大乘正法，或言毀謗獨覺乘法，或言毀謗聲聞乘法，下至一頌。我等由是惡業障故，九十一劫流轉生死，常處地獄傍生餓鬼，瘖瘂無舌，都不能言，受諸苦毒，痛切難忍。始於今世得復人身，而猶瘖瘂，常患舌舲，蒙佛神力，方始能言，復能憶念自過去世所有因緣諸惡業障。」

佛看見這些懺悔頂禮的人，知道他們過去所做的業，佛要他們自己說，明知而故問。他問：你們過去世做了什麼惡業？所以在大眾中，口不能言。「彼諸人眾，俱時白佛，於中一類作如是言」，並不是全體，而是引少數人的話說。「大德世尊，我等往昔於毗鉢尸如來法中，或言毀謗大乘正法」，毗鉢尸佛就是拜懺五十三佛中的毗婆尸佛。

在毗鉢尸佛的時候，我們謗了大乘正法，「或言毀謗獨覺乘法」，「或言毀謗聲聞乘法」了，下至毀謗一頌，雖然毀謗的是很少，罪惡還是很大。我們由那個罪業，毀謗大乘經典，獨覺乘經典，三乘經典，也就是毀謗三乘的經典，毀謗法寶。經過九十一劫流轉生死，從毗鉢尸佛的時候就墮了地獄。

在地獄出來或者變了畜生，或者變了餓鬼。因爲他謗毀法，所以不能說話。但是他懺悔了，因爲佛加持力，他又能說了。這表示罪業已經清淨一部份了；今天能到這個法會當中，再蒙佛的神力加持，才能說話，能夠得到宿命通。能憶念就必須得到宿命通，不然怎麼知道呢？其實他能參加那個法會，就比我們業障還輕，我們都沒能參加，要是我們遇見佛，或許能夠開悟。也許這些是大權示現，在這個會上示現給別人看的。

所以佛說一部經典，都有好多的因緣。有的人他雖然沒有這個罪過，他卻示現犯這個罪過，這是給這個法會其他的衆生做警示。

「復有一類作如是言：大德世尊，我等往昔於尸棄如來法中，或言毀謗大乘正法，各隨本緣，如前廣說。復有一類作如是言：大德世尊，我等往昔於毗攝浮如來法中，或言毀謗大乘正法，各隨本緣，如前廣說。復有一類作如是言：大德世尊，我等往昔於羯洛迦孫馱如來法中，或言毀謗大乘正法，各隨本緣，如前廣說。復有一類作如是言：大德世尊，我等往昔於羯諾迦牟尼如來法中，或言毀謗大乘正法，各隨本緣，如前廣說。」

這一類說完了，復有一類，又作另一種懺悔的表白。「大德世尊，我等往昔於尸棄如來法中」，毗婆尸佛之後，就是尸棄佛。這尊佛也是莊嚴劫最後的四尊佛。「復有一類作是言：大德世尊，我等往昔於毗攝浮如來」，或言毀謗大乘正法，「各隨本緣，如前廣說。」

「復有一類作如是言：大德世尊，我等往昔於羯洛迦孫馱如來法中」，這就是拘留孫佛，或者是在如來法中毀謗了大乘正法，「各隨本緣，如前廣說」，懺悔所說的話，都是相同的語言，所以佛在說法中就把他略去了。「復有一類作如是言：大德世尊，我等往昔於羯諾迦牟尼如來法中」，也就是拘那含牟尼佛，或者「或言毀謗大乘正法」，那麼「各隨本緣，如前廣說」。

「復有一類作如是言：大德世尊，我等往昔於迦葉波如來法中，或言毀謗大乘正法，或言毀謗獨覺乘法，或言毀謗聲聞乘法，下至一頌。」

拘留孫佛、迦葉佛、拘那含牟尼佛，加上釋迦牟尼佛這四尊佛，就是人賢劫的千佛。爲什麼我們一稱就稱七佛，因爲這七佛是一個一個一個接著，迦葉佛過後，就是釋迦如來；釋迦牟尼佛過後，是彌勒菩薩。迦葉佛以前，就是拘那含牟尼，佛拘那含牟尼佛以前，就是拘留孫佛。在佛跟佛之間的距離，有長有短，要看衆生的因緣。在釋迦牟尼佛跟彌勒佛之間相距五十六億萬年，在我們的感覺是很長的，在梵天來看是很短的。人間的五百年，四王天的一晝夜；四王天的五百年，忉利天的一晝夜；忉利天的一千年，是夜摩天的一晝夜。往上數，等你數到大梵天的時候，人間就有多少萬年，一加就十倍。我們看見時間很長，但天人看見很短，而且釋迦牟尼佛並不是只有一尊釋迦牟尼佛。

在道宣律師傳上記載，道宣律師得到天人進供，那天人每天給道宣法師送供，道宣法師就問天人說：「現在釋迦牟尼佛入滅了，他到那兒去？」天人就回問：「你是問哪一尊釋迦牟尼佛？」從天人這個問號當中，就知道有很多釋迦牟尼佛。他反問道宣律師：「哪尊釋迦牟尼佛？」「我問的就是這尊釋迦牟尼佛。」他說：「這尊釋迦牟尼佛沒有入滅，還在這個世間說法，只是你們看不見。」從這個問答當中就可以知道，這只是我們的業障而已。佛都如是的，因爲現在是釋迦牟尼佛，所以他就沒有再說釋迦牟尼佛，這都是在六佛前面所造的罪惡。向哪尊釋迦牟尼佛懺悔？

或者說我在獨覺乘毀謗了聲聞法，或者在聲聞乘毀謗獨覺法；或者大乘當中毀謗了獨覺聲聞乘法，互相的懺悔。這個看個人所謗毀的是什麼，一類一類的不同。毀謗的言辭就不一定了。或者是小乘法，連聲聞緣覺一起說的。或者是苦集滅道，說那個是修人天乘的，我是菩薩，我沒有什麼苦，苦集滅道，在他來看，法也是如夢泡影，就撥無因果，就這樣的毀謗他。

佛有時候也對大乘根器，說小乘法，他是對那類機。佛不是毀謗的，那是蘊含著小乘，他不謗緣覺乘，只是你說的那個不究竟，《法華經》就是這樣說。佛有時候說二乘人，焦芽敗種。他說的是對的，「焦芽」是指沒有菩提芽，沒有菩提種子，他不能夠成佛。他要是發了菩提心，照樣成佛，就是這個涵義。

「我等由是惡業障故，從爾以來流轉生死，常處地獄傍生餓鬼，瘖瘂無舌，都不能言，受諸苦毒，痛切難忍。始於今世得復人身，而猶瘖瘂，常患舌舲，蒙佛神力，方始能言。」

所以毀謗三乘法，從毀謗的時候開始，就在生死流轉中，不是墮到地獄，就是傍生，就是餓鬼，一直瘖瘂無舌，不能語言。這一類是專指不能言的，或者有的道友看人這麼多，很少看見啞巴，以爲沒有那麼多，那是我們沒有處到那一類當中。你到牛裡頭，去到羊裡頭，還有螞蟻，螞蟻都是啞巴，沒有辦法溝通。

「復能憶念自過去世所有因緣諸惡業障，我等今者於世尊前聞說此經，獲得正見，深心慚愧，發露懺悔，不敢覆藏，願悉除滅。從今以往，永不復作，防護當來所有罪障，唯願世尊哀愍攝受，令我等罪皆悉銷滅，於當來世永不更造，唯願世尊哀愍濟拔我等當來惡趣苦報，唯願世尊哀愍我等爲說正法。」

復能憶念自己過去世所造的因緣，「諸惡業障」，「我等今者於世尊前，聞說此經」，才獲得正確知見，心裡非常慚愧，「發露懺悔，不敢覆藏」，「願悉除滅，從今以往，永不復作」。以後我們再不敢這麼做了。用來防護當來的所有罪狀，這跟前面都一樣的。

「世尊告曰：善哉！善哉！汝等乃能如是慚愧發露懺悔，於我法中，有二種人名無所犯，一者稟性專精，本來不犯。二者犯已慚愧，發露懺悔。此二種人，於我法中，名爲勇健得清淨者。於是世尊隨其所樂，方便爲說種種正法，各隨所宜，皆得利益，歡喜禮佛，還復本座。」

對機說法，這是三乘人向佛懺悔，加在一起就很多了。佛能夠一批一批的給他們說？像這麼多數字，要說《大集十輪經》，恐怕四十九年也說不完。「佛以一音演說法，衆生隨類各得解。」大乘人聽得佛說的是大乘法，聲聞乘聽到佛說的聲聞法，獨覺乘聽到佛說的獨覺乘法，「隨類各得解」，是這個道理。

現在有一種情形是可以證實這種境界的。像在國際間的會議上，他們會接上種種的播音在裡頭播，你是中國人，跟你說國語，你說台灣語，他跟你說台灣語，英語說英語。這世界的一百七八十個國家，你說哪一國語言，在開會的時候，都會播出來。這跟佛一音隨類各得解，他自己就聽到佛是給他說，其實佛是普遍的說，這種神通，叫語言三昧，叫語言陀羅尼，這種是報得的。

有的人他當小孩的時候，就能夠學八國的語言。我遇過一個小孩，十歲不到，八國話都會說，這是報得的通。有些人生來就知道過去，知道好多生，不只是一生；偶爾的知道一生，不怎麼稀奇。他可以知道好多生，但是他不敢說，說了要受天譴的，因爲神鬼要制止他，怕他妖言惑衆，你說了沒有人相信，大家都沒有這種能力，那就奇怪！經上說不可說不可說，這個事情不能說，說了可就麻煩了，就要給自己找麻煩，懂得這個意思就行了。

「時眾會中，復有無量百千聲聞，及無量百千那庾多菩薩，聞說此經，憶昔所造諸惡業障，即從座起，頂禮佛足，於世尊前，深生慚愧，至誠懺悔，合掌恭敬，皆白佛言：大德世尊，我等憶昔曾於無量諸佛法中，或有說言，我等於彼諸佛弟子，或是法器，或非法器，多行忿恨，呵罵毀辱，譏刺輕誚，種種誹謗，隱善揚惡。」

有的道友說：「錯了，應該隱惡揚善！」我說：「一般人說錯的，就是不說對的。」他懺悔他的罪，對別人的好事不說，把人家的好事隱起來了，盡說別人的惡處。

我們對於佛事，對佛弟子，有的是法器，有的是非法器，就是破戒了，我們對他們生起一種忿恨心，憎恨心，乃至呵罵他們，毀辱他們，譏視他們，輕蔑他們。輕誚就是輕蔑他們，說俏皮話，種種的毀謗，不說他們的好事，把他們所行的道德事隱起來，專門說他們的缺點。

就像前面所講的比丘過，有些人從來看不見自己的過失，他的眼睛睜的很大，專門注意那個人有什麼樣的缺點，這個人又怎麼樣，還略略記載一下子。特別是在機關混久了，知道別人的隱私，他就寫一點心得，他那個小本子裡記載好多人的隱私，就拿來訛詐。他說：「你做了好多壞事，我們倆人要溝通一下。你或者給我行點賄，我就不說了，不然我給你登報。」別人怕洩漏，洩漏就做不得人，給他點錢。但是他會沒完沒了，等他的錢花完了，或者賭輸了，又來找你了。你乾脆最初就懺悔，根本不要給他，不要聽他說。這叫敲詐，這類人很多。

過去的社會，有一種人叫刀筆邪生，一個字一點，他能送你的命，就是這一點也能把你救活。你花好多錢，就買他這一點。我那天跟道友吃飯，我說，「國憂民愁王不出頭誰爲主」，就是一點，就在那王字上點一點，就叫主。但是他這個詞句辭意作的不錯，下一點，「天寒地凍水無一點不成冰」，就這一點。

還有一個刀筆邪生的例子。有一戶人家，家裡幾代就這麼一個孩子，這個孩子被土匪攀上了。土匪就把他拉去，跟他們一同搶，這個孩子呆呆的，他自己也承認搶劫，其實他沒有搶，但是這些土匪，是從大門進去搶東西的。這孩子的家裡頭有錢，就買通一位刀筆邪生：「你要是能把我兒子救活，我就給你多少錢！」他就把狀紙拿回去研究，研究了好幾天，他也開了悟。他說：「我只要一點就行！」就把那「從大門而入」，在「大」字上加一點，就是「從犬門而入」，就是扒竊，一般處理得很輕，幾年就放了。大門而入，搶劫罪就重了，或者是死罪，或者無期徒刑。

我那天想起這個故事，想起那副對子，也就是一點的關係。我們好多的關係就是一點，就是一個迷，一個悟，一個隱惡揚善。隱善揚惡就這一點，就這麼一個顛倒，這都是罪惡。我們要知道這種道理，不要說錯一句話，一句話你可要受無量劫的痛苦。人家正在那裡修聲聞法的，修的已經快要修成了，你說：「你學這個佛法，小乘法，你學他幹什麼。我這兒有大乘的法，我的是密宗，瑜伽密，你受了灌頂，就成佛了。」他就去受了灌頂，完了，聲聞法成就不到。反而把那給丟掉了。他說：「我受了灌頂，我什麼都不怕了。」什麼壞事都做，那又墮了無間地獄，惡友跟善友，你要分別清楚。還有惡事跟善事，他教導你的時候，雖然按照次第教你，雖然慢一點，可是危險性少。另一種雖然快了，這個危險性很多。

「我等由此惡業障故，經無量劫墮諸惡趣，受諸重苦，楚毒難忍，後得值遇無量諸佛，皆曾親近承事供養。又得值遇無量菩薩摩訶薩眾，亦皆親近承事供養，於一一佛一一菩薩摩訶薩前，皆深慚愧發露懺悔諸惡業障，於一一佛一一菩薩摩訶薩所，皆得聽受無量法門，精勤護持，修學無量難行苦行，由彼業障有餘未盡，令我等輩未能證得安樂涅槃，未能證得三摩地門殊勝功德。我等今者於世尊前，聞說此經，復深慚愧，發露懺悔，不敢覆藏，願悉除滅，從今以往永不復作，防護當來所有罪障，唯願世尊哀愍攝受，令我等罪皆悉除滅，於當來世永不更造。唯願世尊，哀愍濟拔，我等當來惡趣苦報，我等今者承佛威力，願隨所樂，速能證得安樂涅槃，或能證得三摩地門殊勝功德。」

無量劫，不是一天兩天，無量劫好多萬萬年，很不容易算的。

經過這樣的無量劫，劫不是說年限，是指經過無量。多少罪業免了，就算消除了。這樣的墮在惡趣裡頭，受盡苦難，是難以忍受的。在這個無量劫的罪過，受完了，又「值遇無量諸佛」。這些聲聞菩薩，我們都親近承事供養過。完了，還遇到這些善友，無量的菩薩摩訶薩就是大菩薩，亦皆「親近承事供養，於一一佛一一菩薩摩訶薩前，皆深慚愧發露懺悔諸惡業障。」這個罪，我們懺的次數太多了，因爲我們那時候做錯事情，經過兩個無量劫，一個無量劫的罪過，一個無量劫的懺悔，也就是在佛菩薩的面前，我們都發露懺悔過。

「於一一佛一一菩薩摩訶薩所，皆得聽受無量法門」，重新又學了無量正法。「精勤護持」，精進護持這個法。「修學無量難行苦行」，修行的法門很多，很難做得到的事情，我們也都做了。但是這個業障，還沒有完全消除。你造業的時候很容易，隨便說幾句話，就造無量的業，要想懺掉這個罪，很難。好像白紙，你把墨潑到白紙上，想把白紙恢復爲潔白的，很難。怎麼辦？換一張紙就是了，原來這張紙沒有辦法了。我們怎麼辦呢？要使你這個妄心頓歇，歇即菩提。換個心，換什麼心呢？換你的眞如心，幻化的空身，沒有實體的，幻化空身即法身，要是證得法身了，你有什麼罪業都清淨了。

這是大乘究竟了義，我們經常說定業不可轉，也就是我上面所說的。我們受到誤導，你的罪懺悔不了，非下地獄不可，你等著下地獄。不可轉，我們還學佛幹什麼？學完了，還是轉不動，學了還要下地獄，不學也下地獄，何必還要學佛？

這是斷別人的善根，不好的。有的人說，你犯了罪，是不通懺悔的。那是在你沒有犯罪之前嚇你的。等你犯了之後，又許你悔過。定業不可轉，三昧加持力，說修定修空觀，也能觀空，你的罪業都懺清淨了。「罪性本空唯心造，心若亡時罪亦亡，心亡罪滅兩俱空，是則名爲眞懺悔。」但是這個懺悔很不容易，要悟得空性，證得空理。罪業清了，他還要起修，不修行，成佛是達不到的。

成就法身佛，法身理體，我們都具足。法身清淨了，你沒有方便善巧，怎麼利益衆生？沒有利益衆生，沒有功德相，連化身的三十二相、八十種好都沒有了，像報身佛的圓滿報身，那個功德不可思議。所以還得修行。現在我們這個罪，還沒有完。爲什麼？因爲沒有證得究竟涅槃。「安樂涅槃」，就是究竟涅槃，不生不滅的。

「未能證得三摩地門殊勝功德」，住三摩地，住這個殊勝三昧，因爲沒有證得這部經的楞伽三昧，前面講百八三昧，證得那個三摩地，就好了。現在我們「於世尊前，聞說此經，復深慚愧，發露懺悔，不敢覆藏，願悉除滅」，把沒有懺乾淨的障，也懺乾淨。從今以往，永不復作。

「防護當來所有罪障，唯願世尊哀愍攝受，令我等罪皆悉除滅，於當來世永不更造，唯願世尊，哀愍濟拔，我等當來惡趣苦報。」這是給衆生做樣本的，他們都承事了，那麼一一佛一一菩薩摩訶薩，還要下地獄嗎？不可能的。

他們知道這是大權示現，作樣本，也許他說他過去的歷史，釋迦牟尼佛當衆生的時候，也做了很多的錯事，在《賢愚因緣經》，佛有時候也很愚癡，等愚癡去除了，有了智慧，他成佛了，就不愚癡了，佛佛都如是。佛是從衆生中來的，都如是。你只要修，慚愧了，慚愧就是你的功力增長，不憍傲自滿。

「復有說言：我等於彼諸佛弟子，或是法器，或非法器，以麤惡言，期剋迫憎。我等由此惡業障故，經無量劫墮諸惡趣，應知如前次第廣說。復有說言：我等於彼諸佛弟子，或是法器，或非法器，打棒傷害。我等由此惡業障故，經無量劫，墮諸惡趣，應知如前次第廣說。復有說言：我等於彼諸佛弟子，或是法器，或非法器，侵奪衣鉢。我等由此惡業障故，經無量劫墮諸惡趣，應知如前次第廣說。」

我們由於這個惡業障的緣故，「經無量劫墮諸惡趣，應知如前次第廣說。」這又是一類的懺悔。對於法器的，也就是持戒的清淨比丘，非法器的，就是不持戒的破比丘。我們對他說粗惡話，罵他、侮辱他，還迫脅他們，壓迫他們。迫脅的事有很多，甚至剎帝利旃荼羅王，關你監獄，十年十五年才放你，這叫定期迫憎。由於我造了這個惡業障，經無量劫墮在惡趣，就跟前面所說一樣。

「復有說言」，又有一類懺悔，「我等於彼諸佛弟子，或是法器，或非法器，打棒傷害。」這就是個別的，我沒有罵過他，也沒有說過他，但是我打過他，各類的情況不同。我等由這個「惡業障故」，「經無量劫墮諸惡趣，應知如前次第廣說。」這都是重複的。

像拜懺的時候，大家要熟悉那個懺本，依懺文修觀，就把這些全都包括了，超過《大集十輪經》，那是包括一切經論的，大小乘都有。裡面有幾句話：「往昔所造諸惡業，皆由無始貪瞋癡，從身語意之所生，一切我今皆懺悔。」這個就包括了無量劫，所有造的惡業，一切我今皆懺悔，那都有了。

還有我們發願，跟這個對照的，我們發願就是要成佛。「願以此功德，莊嚴佛淨土，上報四重恩，下濟三塗苦。」三塗苦就是餓鬼、畜生、地獄。四重恩，報佛恩、報眾生恩，還有報這個國家、土地的恩，都要報。但是以報眾生爲主，報那些諸佛菩薩教導我們的恩，報眾生恩，還有報父母恩。有的是報七重恩，我們這裡說的是四重恩，這個懺悔都包括在裡頭。這是他個別懺的，有的是罵的，出惡言的，粗惡語的。有的人說，我並沒有出惡語，只是打傷他們的；有的說，不管他是法器非是法器，我就是侵奪他的衣鉢。我們由那個惡業故，經無量劫，墮諸惡趣。

「復有說言：我等於彼諸佛弟子，或是法器，或非法器，侵奪種種資生眾具，絕其飲食。我等由此惡業障故，經無量劫，墮諸惡趣，應知如前，次第廣說。復有說言：我等於彼無量諸佛出家弟子，或是法器，或非法器，退令還俗，脫其袈裟，課稅役使。我等由此惡業障故，經無量劫墮諸惡趣，應知如前次第廣說。復有說言：我等於彼無量諸佛出家弟子，或是法器，或非法器，或有罪犯，或無罪犯，枷鎖繫縛，禁閉牢獄。我等由此惡業障故，經無量劫墮諸惡趣，應知如前次第廣說。復有說言：我等於彼無量諸佛出家弟子，或是法器，或非法器，起輕慢心，種種觸惱，令不安樂。」

「復有說言：我等於彼無量諸佛出家弟子」，各人懺悔說的言詞不一樣，事情都是一樣的，稍微更改幾句話。「或是法器，或非法器，退令還俗」，這類弟子過去一定是有權有勢的，這種懺悔的，他如果不是國王，怎麼有權力迫人家還俗呢？「退令還俗，脫其袈裟」，乃至課他們捐稅，和尚是不上稅的，他沒有收入，不用上稅。

凡是課和尚稅的，課廟稅的，或者驅使他作勞役的，將來要墮地獄的。你跟課稅的官吏說：「好，你們收和尚稅，這要墮地獄的。」這是佛在《大集十輪經》說的，這叫迫害。但是對於破戒比丘可以有兩種說法，他賺錢，打工當然是要收稅，他做生意開舖面，當然要收稅。現在化緣，你化到這邊來了，也得上稅，你的收入好多，你化多少也得上稅，這叫課役。乃至逼迫他勞役，也就是他沒有錢窮得不得了，做苦役，做苦工，做苦工不給錢，叫勞役。

「復有說言：我等於彼無量諸佛出家弟子」，無量就是過去很多的佛弟子，不管他是法器，不是法器也好，「起輕慢心，種種觸惱」，沒有迫害他，沒有罵他，也沒有打他，也沒有課利捐稅，但是使他不安樂，總是使他生起煩惱。

「我等由此惡業障故，經無量劫受諸重苦，楚毒難忍，後得值遇無量諸佛，皆曾親近承事供養。又得值遇無量菩薩摩訶薩眾，亦皆親近承事供養，於一一佛一一菩薩摩訶薩前，皆深慚愧發露懺悔諸惡業障，於一一佛一一菩薩摩訶薩所，皆得聽受無量法門，精勤護持，修學無量難行苦行。由彼業障有餘未盡，令我等輩未能證得安樂涅槃，未能證得三摩地門殊勝功德。我等今者於世尊前聞說此經，復深慚愧，發露懺悔，不敢覆藏，願悉除滅。從今以往永不復作，防護當來所有罪障。唯願世尊哀愍攝受，令我等罪皆悉消滅，於當來世永不更造。唯願世尊哀愍濟拔我等當來惡趣苦報，我等今者承佛神力，願隨所樂，速能證得安樂涅槃，或能證得三摩地門殊勝功德。」

就是現在，「聞說此經，復深慚愧發露懺悔」，以前雖然懺悔過了，現在聽佛說這部經，感覺到更加慚愧了，發露懺悔。對於所做的業，不只懺一次、兩次，而是懺了無量次。今後，「防護當來所有罪障」，不敢再做了。

「於是世尊普告聲聞菩薩眾曰：善哉！善哉！汝等乃能如是慚愧發露懺悔，有二種人名無所犯，一者稟性專精，本來不犯。二者犯已慚愧，發露懺悔。此二種人，於我法中，名爲勇健得清淨者。又善男子，如是惱亂佛弟子罪，比前所說近無間罪，彼但有名，未足稱罪。然此惱亂佛弟子罪，亦過前說五無間罪無量倍數。所以者何？若諸苾芻毀破禁戒，作諸惡法，猶能示導無量百千俱胝那庾多眾生，善趣涅槃，無顚倒路，與諸衆生作大功德，珍寶伏藏如前廣說，況持禁戒修善法者。以是義故，若有惱亂佛弟子衆諸出家人，當知則爲斷三寶種，亦則名爲挑壞一切衆生法眼，亦爲毀滅我久勤苦所得正法，與諸衆生作大衰損，是故惱亂佛弟子罪，過前所說五無間罪無量倍數。」

這樣的發言雖然不同，涵義是一樣的。佛就跟大家說：「善哉！善哉！汝等」，就是前面所說的這些衆生。「乃能如是慚愧發露懺悔」，那麼「有二種人名無所犯」。一種是「禀性專精本來不犯」，持戒持得清淨。「二者」呢？雖然犯了，還能夠慚愧，還能懺悔，要去改過，這「二種人於我法中名爲勇健」。

懺罪是很不容易的，當著很多人面前，說自己做錯的事，很不好意思，對嗎？開不得口，說功德，表揚自己，他談的可多。只有一點點，他都可以說成多大；反之要是懺悔自己的罪，就不願意說。怎麼辦呢？對佛菩薩說，鬼神會給你作證明，護法神會給你作證明，面對人不好意思說，你可以對著佛像前懺悔說。

我們拜懺的時候，爲什麼個別拜呢？人多，懺悔只能是說那個詞句，大家都一樣的。唱句雖然很圓滿，跟你所造的罪惡事實不一樣。你回家的時候，對著佛像前，就禱告，我犯了那些罪，爲什麼大家都說我不好，我一做點好事就被人破壞，這是什麼原因呢？大概是我過去生，說人家不好。你想一想，你的心，乃至挖苦別人，謗毀別人，輕蔑別人，這個你做了好多？特別是對出家人，或者對道友。我們跟出家人，或者是還少。優婆塞跟優婆塞之間，優婆夷跟優婆夷之間，這種事很多，特別是優婆夷，要特別注重，相互之間，看不見別人的長處，盡看短處，別人的長處，她就隱了，短處就到處給她宣揚。「哎呀！你看，某某居士，今天把廟裡水果拿走了！」她不曉得那個水果是師父給的。

我就遇見過這種事。後來有人向我這裡哭訴、告狀，我說，這個是我給她的，妳不要管。妳的罪業消了，妳不要難過，沒有這個事。她謗毀，妳應下地獄罪就不下了，我不是隨便說的，是《金剛經》上說的。

大家讀《金剛經》，看一看。是不是這樣子，那就很高興了。要不是這樣給他解釋，心裡就煩惱了，是不是煩惱了？特別是我們學的很虔誠，很怕人家說不好，誰要是一說不好，惱火了，以後這些道友之間一個串兩個，串的很多，但是你沒有，不要怕，隨便他怎麼說，他對你一點也沒有損害，說了，沒有用處，你說了，讓我聽見生起煩惱。你怎麼謗，我不聽你說什麼。所以這些事，每位道友都有。踫見了，你怎麼辦呢？你就慚愧！你沒有那麼大的德行，希望人家不說，不可能的，釋迦牟尼佛都還有人說他，還有人冒充他，還有人想超過他。釋迦牟尼佛也不開腔，但是這個因果帳有人跟他算，墮進地獄，就苦了。有的現生就受報，立竿見影。

幫助別人，幫助他更進一步，他知道自己的道德不夠，爲什麼人家說我們？因爲我們自己的道德不夠，你要慚愧，聽到了，你要懺悔，說我現在今生很好，前生呢？無量生呢？毀謗你的那個人，就是你過去說過人家壞話，你爲什麼不懺悔？因爲你現在看不到，如果大家都有神通，知道原來是這麼一回事，你就心平氣和了。

因爲不知道過去，只看到現在，看現在解決不了問題，學經的時候，不要認爲這些話都是重複的，你略取幾點，就行了。我們總感覺到無論什麼時候都在懺悔，就算是等覺菩薩也還在懺悔。你自己要好好拜自己，向外求都不行，要求你自己的心。

我講一個故事，佛印禪師跟蘇東坡，兩人到廟上。蘇東坡就問佛印禪師：「觀世音菩薩拿念珠幹什麼？」佛印禪師說：「他念。」「他念誰？」「他念觀世音菩薩！」蘇東坡說：「觀世音菩薩怎麼會念觀世音菩薩？」佛印禪師說：「他不念自己，念誰？」這是第一個。蘇東坡又問：「他在叩頭不？」佛印禪師說：「叩！」蘇東坡說：「拜誰？」佛印禪師說：「觀世音菩薩拜觀世音菩薩！」經過反覆問幾次，佛印禪師跟蘇東坡說：「你開悟了！」

大家想想開了悟沒有？恐怕我們還是沒有開悟，知道這是什麼意思？佛佛之心，就是你自己的心，你只要念念觀世音，你念念自己也好，可不要念你這個色身，你這色身會造罪的，念你的法身，那個法身就包括一切諸佛，就念一切諸佛，念一切菩薩，一即是一切，就是這個涵義。為什麼這樣說呢？佛就給他們解釋了。發露懺悔有兩種人，於我法中，「名為勇健得清淨者」。

如果「善男子，如是惱亂佛弟子罪，比前所說近無間罪」，都重。單有一個名，還不算罪，近五無間罪還不算是罪。然此惱亂佛弟子罪，「亦過前說五無間罪無量倍數」，比五無間罪還重。所以墮到地獄去，墮到無間獄，出來的時間特別長。

所以者何呢？「若諸苾芻毀破禁戒，作諸惡法，猶能示導無量百千俱胝那庾多眾生，善趣涅槃，無顛倒路。」雖然他破了戒，是壞比丘，他還是能夠給無量百千俱胝那庾多那麼多眾生說法，讓他們能趣得涅槃，無顛倒路。

還給「衆生作大功德，珍寶伏藏」，他是寶藏，如前廣說，況持禁戒修善法者，前面我對這種情形，說了很多。前文，這就是一切衆生的珍寶寶藏，取之不盡，是破戒的，何況對於禁戒持的很好的又修善法。他要惱亂，罪更大。

爲什麼我說他的罪惡這麼大呢？他這毀謗，破滅，乃至破法，破比丘僧，把一切衆生的法眼都給挑瞎了，也就是把無量億劫久勤苦所得的正法給毀滅了。「與諸衆生作大衰損」，傷害衆生的功德法藏，「是故惱亂佛弟子罪，過前所說五無間罪無量倍數。」

「是故汝等今於我前，起至誠心，增上慚愧，慇懃懇切，發露懺悔往昔所造諸惡業障，我今慈悲攝受汝等，令惡業障漸得消滅。於此佛土大賢劫中，有千如來出現於世，汝等於彼諸如來前，亦當至誠發露懺悔，諸惡業障，防護當來所有罪咎。於此賢劫千如來中，最後如來名曰盧至如來，應正等覺、明行、圓滿、善逝、世間解、無上丈夫、調御士、天人師、佛、薄伽梵，十號具足。汝等於彼盧至佛前，亦當至誠發露懺悔諸惡業障，乃得滅盡無有遺餘。」

慚愧不算，還得「增上慚愧」。我們學法的目的，有增上心，使我們發的心，使我們發的願，使我們的懺悔罪惡，隨時增上。爲什麼我們要聽經呢？聽了一座經，你就要增上一份心。如果沒有聽，你沒有這個心，不容易生起！在〈菩提道次第〉中特別注重增上緣；但是在罪業方面，這也是增上業。惡緣增上了，你那罪業也隨著增上。增上的涵義，就是這樣，要增上的慚愧，慇懃懇切。

要是能夠發起懺悔，你會痛哭流涕。最起碼你會出身大汗，乃至於流淚的；懺悔到眼睛流血，才是眞正懺悔清淨。眞正認識罪惡，眞是恐怖。地獄苦，他說是佛嚇我們的，眞正有地獄苦嗎？等你受的時候，你知道了，那就晚了。假使那個時候還有善根，你念一聲地藏菩薩聖號：「地藏菩薩快來救我！我在地獄！」地獄馬上就空了。可惜那時候早忘了地藏菩薩，根本想不起來。

我們做夢，遇到惡緣的時候，做夢就醒了。想起了我怎麼沒有念佛？在夢中嚇了一身汗。這就是平時沒有功力，到了用的時候，用不上。你家裡的電力跳匣了，因為你不學，不知道在那兒，找不到。看了也不會，你沒有專注在那行，你不知道，每件事都是這樣。看似很簡單的事，你不會，就是不知道。所以必須增上慚愧，好好懺悔，或者求佛的慈悲加持，這是不可思議的。

例如請個工人，我們看見很簡單的事，撥弄一下就好了，他要你很多錢，你心裡想不通，才動了幾下，就要我這麼多錢。我給你們說個故事。孫中山在上海，他住的處所，那時候就有自來水，水龍頭壞了，關也關不住，請個工人。來個工人就給它修了，他看他三弄兩弄，加個套再一捏就好了，水就不流了。孫先生說：「那要好多錢？」他說：「二十塊錢。」那個時候二十塊錢很貴。孫先生說：「你怎麼這麼貴，要這麼多錢？」他說：「這貴嗎？

不貴。我給您算算賬，我從小學讀到中學，高中畢業了，我去學技術，當了幾年徒工，我才學會，這個不算錢嗎？」孫先生想一想，這是有道理。我只看他算的貴，沒有想想人家怎麼樣學這個技術。

就像齊柏林發明飛機，他把所有田園莊產農場都賣了。到了最後，火力不夠的時候，他甚至把家裡，凡是能燒的，都丟到那個煉鋼爐裡。後來六親眷屬都離開他，什麼都沒有了，就剩他一個人。最後他發明了飛機，那個飛機，就叫齊柏林號。我這是看故事講的。這個你們要懂得，一分知識就一分力量，不論哪一行，何況你要學佛，給佛當弟子，要了道成佛，斷無量劫生死，輕而易舉就能得到嗎？一定要這樣認識，你的慚愧心才生得起來。

想斷苦得樂，你看人家富貴輕巧易取，你不要嫉妒，他有他的因緣。你別看當官好，那是花錢買罪受，等他將來受的時候、懺悔的時候，他才知道。打著為人民服務的招牌，等一拿到權力了，他就想不到人民，不給人民做好事，只想到他自己。

「於此佛土大賢劫中」，人賢劫裡頭，就是大賢劫。「有千如來出現於世」，現在已經過去四尊了，還有九百九十六尊，對於彼諸如來所，千佛的每一尊佛，每一尊佛的跟前，你們都要至誠的懺悔。你所做的惡業障，「防護當來所有罪咎」，要受報的，罪咎要受的果報。你要防護好，如果懺悔了，就不受了。那個罪責，你可以躲過去了。「於此賢劫千如來中，最後如來名日盧至如來」，就是我們的護法韋馱，最後成佛了。

「應正等覺、明行、圓滿、善逝、世間解、無上士、調御士、天人師、佛、薄伽梵」，如來十號，每一尊佛都具足這種十號，汝等在盧至佛前，也像現在對我這樣的「發露懺悔，諸惡業障」。那時候才能「滅盡無有遺餘」，還能把你們所有的業障在盧至佛前懺悔。之後就清淨了，永遠不會再有了，這就叫授記。佛就給他記別，不是授記成佛，未來的事，預先給他記別，這就是《大記別經》。這部經叫《大記別經》，這不是許願，而是告訴他們，你怎麼樣做，將來你就能清淨了。

「時諸聲聞及菩薩眾俱時白佛：唯然世尊，我等審當於彼最後盧至佛所，獲得正見，離諸邪見，諸惡業障盡滅無餘，解脫一切眾苦惱者。若令我等於大賢劫，常處無間大地獄中，恆受種種極重苦惱，亦能堪忍。世尊告曰：善哉善哉，汝等乃能如是勇猛，汝等由此堅固精進自誓願力，定能於彼盧至佛前宿世所集諸惡業障皆悉消滅，定能發起增上信敬，親近供養盧至如來，定能永斷一切煩惱成阿羅漢，或定能證三摩地門殊勝功德。時諸聲聞，及菩薩眾，歡喜禮佛，還復本座。」

我們要好好的審查，一定要這麼觀察的，要這樣做的。在盧至佛前，最後那尊佛，我們就懺悔清淨，「獲得正見離諸邪見，諸惡業障盡滅無餘」，把所有的惡業障都消滅了，再也不存在了，無餘就是沒有了。「解脫一切衆苦惱者」，三塗諸苦，乃至見思煩惱塵沙，都能解脫了。但是還不能斷無明，「亦能堪忍」，堪忍就忍一切法生無量義，能忍受了。那時候就眞正成了大法器，要到了盧至佛，才懺悔乾淨，他們才能成佛。

《地藏經》上所說的〈稱佛名號品〉第九品，每一尊佛的功德，如果單講起來就會講的很長，我們天天拜，每天至少拜一次，你要好好迴向，要發願，你應該得到的別放過。每尊佛都如是，有這麼因緣稱大通如來的名號，你能見無量億佛，給你授記直至成佛。

這是我們拜懺最後的大通如來，應當要作意。作意就是你應當觀察，要會思惟，你要會想，該得功德的，你不要放過；該懺罪的時候，也不要放過，這個是功德。而且罪惡跟功德兩個都是沒有了，這個觀就是般若觀。諸法都是緣起的，緣起性空，在我們的本體上、法性上都不存在。染是對著淨說的，罪惡是對著功德說的；也沒有功德，也沒有罪惡，這種相對法沒有了，但是你必須證到那個地步才可以說那話。沒有達到那個地步，受罪的時候，你說，這是空的。我看打你耳光，罵你幾句話，你就空不了。空得了嗎？空不了！我們要是三天不給你飯吃，你餓的一直叫喚，幾天不喝水，你空得了？你說空的，我的肉體是空的，到時候觀不成，你就空不了。空不了，你就苦了。

要懂得這種道理，就拿這個作比喻，你犯了罪，或者是現在都是受報來了，你沒有打防疫針，你到那個裡頭一定得到，大菩薩爲什麼到衆生來度化衆生？他不受我們的薰染，他有了防疫針，心裡頭早防護好了，他心裡頭空的，這才叫眞空，並不是像我們那樣的空。大乘法是了義的，但是當你沒有證得的時候，不起作用，你用不上。因爲用不上，你才會說大話。

釋迦牟尼佛爲什麼不能給他做主，說你好，你對我懺悔就行了，你的罪業清淨了，他並沒有這樣說！他知道你還得慢慢的磨鍊，因爲你並沒有達到那個境界。

像我們連信心都不具足，要慢慢修。我之所以說慢慢修，就是因爲你太精進了。我們一說精進修，什麼也不幹，就去拜懺了。誰給你飯吃？和尙自己住山洞修，不利益別人，也不幫助別人，別人會幫助你？都是互相交換的。雖然不是等價，但是自然含著這種意思。僧人得要做功德，連吃飯都要給人家迴向，吃飯睡覺，隨時隨地都想到別人，都給人迴向。說上廁所，該不要吧！上廁所更需要，進廁所的時候，你就發願。「當願眾生，棄貪瞋癡，蠲除罪法，一切清淨。」當進去時，我把什麼罪惡全把丟掉了，願一切眾生都棄掉貪瞋癡，證得涅槃。連到那個地方都不放鬆，行住坐臥一天二十四小時，隨時發願，願眾生成佛，隨時懺悔，懺悔罪業。

〈普賢行願品〉的第四大願，我們的罪，要是有形相的，這個世界也裝不下，虛空都撐破了；還好，罪是沒有形相的，是空的。懂得這個道理吧！所以懺罪的時候，必須按〈普賢行願品〉第四大願王來懺悔，隨喜功德，要按第五大願來隨喜。

「爾時世尊告金剛藏菩薩摩訶薩言：善男子，我以佛眼觀諸世間，見未來世此佛土中有無量無數百千俱胝那庾多刹帝利旃荼羅，婆羅門旃荼羅，宰官旃荼羅，居士旃荼羅，長者旃荼羅，沙門旃荼羅，筏舍旃荼羅，戍達羅旃荼羅，若男若女，少種善根，雖得人身，而隨惡友，起諸邪見，造諸惡行，壞我甚深無上正法。於我所說無有熾然，滅熾然法不生信樂，或於我說與聲聞乘相應正法，誹謗輕毀障蔽隱沒，不令流布。或於我說與獨覺乘相應正法，誹謗輕毀，障蔽隱沒，不令流布。或於我說與無上乘相應正法，誹謗輕毀，障蔽隱沒，不令流布。或於歸我諸出家人，若是法器，若非法器，多行忿恨，呵罵毀辱，譏刺輕誚，種種誹謗，隱善揚惡，廣說乃至起輕慢心，種種觸惱。如是諸人，非聖法器，自實愚癡，懷聰明慢，從此命終，墮三惡趣，受無量種增上猛利難忍苦毒，經於無量百千俱胝那庾多劫難復人身，如前廣說。」

前面講，凡是造了毀謗三寶的業，謗佛所說的法，有的是大乘，有的是獨覺乘，有的是聲聞乘。互相毀謗，乃至於對於出家人，或者是持戒的、修行好的，沒有修行的、破戒的，惱害他們，產生種種的迫害。這樣子就造了很多的惡業，上面有很多類的衆生是向佛懺悔的。佛就給他們授記，說你們懺悔，要一直到千佛盧至佛前，才能把宿世所積的惡業，懺悔清淨。在這個世間，一千佛的時間就很長了。前面我講三千大千世界，跟這個小劫中劫，一個是處所，一個是時間。還有一種說法，這個二十個小劫，一個中劫，就是成住壞空，成二十小劫，住二十小劫，壞二十小劫，空二十小劫。這個地球的構造，並不是那麼短暫就形成的。

現在科學家說星球是星雲互相的生起交合作用。這個交合作用要是成就，叫成劫，這需要多長的時間呢？在佛經上說，二十小劫，科學家並沒有說需要多少劫，就看那個球，漸漸從小到大，從小到大，就是這樣子。爲什麼這個地球成就的時候，從外星球看的時候，在宇宙飛船上回頭看，是藍色的。空，當然沒有了，空他看不見了，空根本沒有形相。

爲什麼我們這個地球是藍色的呢？地球是被水包圍的，地球是轉的，整體上只能看到洋，只看見水。所以他從外回頭看是藍色的，那麼這個成住壞空，現在我們算住劫，以前早就成就好了。雖然地震、水災、火災很多，現在還沒有到地球壞的時候，這叫小三災。大三災的時候，地球就開始壞。

《地藏經》上說，在這個地球上造了罪業，地球壞了，那我的地獄苦果該不受了？不行，轉移到他方世界，誰轉移了？是你的業，你自己的業就轉移了。那個世界壞了，又轉移到另一個世界，等到這個世界成就了，因爲你屬於這個世界的，造罪的還回到這個世界來。那就是成住壞空，每一個要經過二十劫，哪個劫來論斷？也是按人的壽命來論斷的。成也不是一下子成就的，壞也不是一下子壞的，每個都經過二十小劫的過程。這要是用年限來算，需要多少億兆年的時間。如果你把罪懺淨了，就可以增上信心。現在我們都是在增上淨信的階段，只能說是信，只能隨時增加我們這個信心。但是我們這個信心還沒有堅定，還沒有根，這個信隨時就壞了，不用等到來生。

現在好多的道友，他的信隨時就壞了，就產生變化了。信敬心生不起來，就遇不到善知識、佛菩薩、羅漢，他雖然還在這個世界上，你無緣，無緣就見不到。因爲我們就在這世界上，五六十億人口，我們所能接觸、認識的有好多？大家都是台灣來的，台灣說二千三百萬人口，台灣二千三百萬人口，你認識多少人？你算一算，沒有多少。爲什麼呢？跟你無緣。雖然在同在一個土地上，同在一個條件下生存，無緣，無緣跟他接觸。連貓狗、畜生，或者這堆螞蟻，你看到的，都是有緣的。

你沒有看見的，太多太多了，你連見的緣都沒有，連聞的緣都沒有。《地藏經》講的很多，那個罪業在別人受苦的時候，你見不到。因爲你跟那個沒有緣，你聽也聽不到，連見聞的緣都沒有。爲什麼呢？因爲你沒有那個業，你想我們有那個業，你想躲也躲不脫，絕對躲不脫。

在大陸內戰的時候，有一批人到了台灣，有一批人沒有出來；同一家的人，有的來了一個，來了兩個，有一半就留在大陸，這些都是有因緣的。有的他已經都上了船，要來，可是船沈了。我有個道友，他是很信佛的，以前做寧波專員，後來做遼寧省主席，那一條船都是國民黨的，都是廳長以上的人物，帶著很多財產，可能是黃金帶太多了，船負載太重了，出了上海口與寧波交界地點，船就沈沒了。

我到北京去找著他的弟弟，我問他，他跟我說：「我哥哥全家，連他嫂嫂帶著他的子女全家都沈沒了。」他的弟弟沒有去，沒去就在北京留下來。這個因緣就是一家人的命運都不同。

有時候我跟道友說：「你生了九個孩子，一母生九子，九子各別，各人是各人的命運，不必太操心。」因爲沒有那個緣，這是你勉強不到的，有那個緣，自然就成熟了。那個業緣，你要是懺罪懺清淨了，佛就給這些人授記到盧至佛的時候，你把罪懺乾淨了，就能斷煩惱，斷了就成阿羅漢果，或者是證得三摩地殊勝的功德。這些聲聞，跟菩薩衆，歡喜禮佛，得了授記，他高興了，再不會墮三塗。因爲每佛出世一定能遇到，不然佛不會說的。就是千佛出世了，你在每一佛都如是的懺悔，也如是說。

佛跟這些人授記完了，告訴金剛藏菩薩摩訶薩說：善男子，我以佛眼看，未來世此佛土，就是我這個佛國土，有無量無數的百千俱胝那庾多那麼多，剎帝利旃荼羅王。這個百千俱胝那庾多，不都是旃荼羅王，這惡王惡婆羅門，惡宰官，惡居士，惡長者乃至惡沙門，破戒的沙門壞沙門，沙門罵沙門罵的更厲害，沙門破壞廟破壞更厲害。因爲那些都是波旬派來的魔子魔孫，他們是來破壞佛教的，盡量的破壞。

以前看見各黨各派，乃至包括我們佛教，當那個黨或那個組織集團要壞的時候，怎麼壞呢？他的集團內部先壞了，才能壞得了，並不是外界來的。互相攻擊，完了就崩潰了，佛教也如是。佛教到了要滅的時候，誰來滅的？佛弟子滅的。四衆弟子都有份，互相破壞，到了那個時候，佛法才沒有了。所以說，這個沙門旃荼羅一點兒也不稀罕的，都有的。乃至四姓商賈，筏舍就是商賈的，農民，戍達羅就是屠宰業，乃至惡業，攬惡業的那些人，不論是男是女，善根很少，並不是絕對沒有。種善根的少，人種善根，前後都不一樣的。如果是在家的道友，最初沒有吃葷，有些人生下來就不吃葷，或者出了家之後，戒了這個葷，不吃，到了晚年他卻吃葷了。

我們有好多的修行者，平時很精進用功，將要圓寂了，什麼業障都發現了，戒也不持了。很多事業都不做了，那病苦折磨他，聽人家說吃肉能治好病，他就吃肉了。要他幹什麼，他就犯了。業不自主，自己做不了主。我看我們好多的道友，一輩子在山裡苦修，到了臨要死的時候，他放不下，什麼業障都發現了，這叫前功盡棄。雖然那個種子種下了，功德種下了，前功盡棄，這一點都不奇特。以佛眼觀，到了末世的時候，他的善根不具足，不深，而且種的很少。雖然是得到一個人身，轉世為人，可能也能做成三寶弟子。

在末世的時候，三寶當中，特別是四衆弟子比丘，比丘尼，優婆塞，優婆夷，這裡頭眞正發菩薩心的是大菩薩；也有眞正發聲聞心的，成阿羅漢的，也有眞正的阿修羅。他就把這善業攪得混亂，給你往下拉，拉你墮入三塗，變成魔王。爲什麼在三寶裡拉呢？因爲三寶多少都有善根的，他就是到了晚年，他壞的時候，他的福報還是有的，他以前修的福報還是有的，他就可以不墮三塗，轉到了魔王的界，那是魔子魔孫，就增加他的隊伍。他只有在三寶之中的弟子來找，才能有資格生到天上。要生到那個波旬隊伍，也得十善業，沒有十善業是去不了的；雖是在魔，魔也得有福，沒有福怎麼能享受？懂得這個道理就行了。

所以我們修行的目的，就是爲了不做惡。我一生行善，到了臨命終時做惡，或者被惡友引誘，或者你過去的六親眷屬，他們的惡業很重，那些人就來牽引你，他們都要你到那個道去，就跟他們一塊去。

雖然得到人身，隨惡人轉，生起邪知邪見。在我們弟子當中有很多，不論台灣和大陸都如是。一到利害關頭的時候，在選擇的時候，以他肉眼所能見得到的，走這個道是有利的。勾結權門，勾結有財有勢，勾結官吏，欺壓好的和尚，也就是惡和尚欺壓好和尚。這種事情，自從我出家以來，看見的太多太多了。他會做出很多的惡行，造惡業，破壞佛的甚深無上正法。佛的法，無論哪一法都是了生死的，都是離苦得樂，都是斷煩惱的。就在這個佛所說的法當中，你不去分別什麼，顯、密、大、小，只要你得到一點，依著他去做，你就能得到，就能解脫了，就能斷煩惱。

佛法再深再好，做不到，一點受用也沒有，跟你毫不相干的。你怎麼能做到？念一聲佛號，你都不能夠做到，都不能堅持一心，還說什麼甚深觀想，乃至於修行，怎麼修得起？這種信心都培養不起來，成就不了這個信心。

那會怎麼樣呢？佛所說的法不能茂盛的生起，只能讓佛法漸漸的息滅，不能熾燃。正法就像火一樣，茂盛的總是使人得到溫暖；要是漸漸的滅了，滅了之後，使你不生起信樂，信心沒有了，快樂心也生不起來。

「或於我說與聲聞乘相應正法，毀謗輕毀」，有些人聞到苦集滅道，他就發心了，他聞見這世間上就是苦。苦是怎麼來的？就是你做業造的。你的苦因造就的，你的惡因止了，苦就停了。你要是盡量做，苦就永遠停不了。

這個道理很簡單，誰都知道。但是做起來很困難，聲聞乘如是，緣覺乘也如是。

前面說的很清楚，特別是非法器裡頭有揀擇的，金剛藏菩薩說非法器已經破壞了，爲什麼佛還對他恭敬？還要讓一切人對他恭敬供養？因爲他還能夠做功德。

在末法時代，想找一位清淨比丘，沒有了。蕅益大師是這樣說的，弘一法師也這樣說。蕅益大師退比丘戒，重新受戒；其實他原先就沒有得戒，也就無所謂退戒了。在明末清初的時候，想找五個清淨比丘找不到，能夠有五個人說戒，你才能得戒。如果找不到五個清淨比丘得不到戒，而且蕅益大師說，從南宋以來就沒有五個清淨比丘。那就是說我們這個時代，相當的惡。

佛說的未來世，我佛土中，有無量無數的，數字相當多，上億兆的，不只是我們這個世界，不只是南贍部洲，還有好多的娑婆世界，好多洲，這個佛土是指著哪個佛土呢？娑婆世界的佛土，不是我們一小南贍部洲的小土，所以才有這麼多。南贍部洲人全算上，一兆也沒有，一兆是十億，這十兆的數字有嗎？他所說的旃荼羅王，一個國只有一位旃荼羅王。所以他破壞我們的正法，對於三乘的，無論聲聞乘，緣覺乘，無上乘，他毀謗輕毀障蔽隱沒，不令流布。乃至於對我法出家的，或者是法器，或者非法器。「多行忿恨，呵罵毀辱，譏刺輕誚，種種誹謗，隱善揚惡。」

這些人本來是很愚癡的，這種愚癡是專指不明佛法而言的，這叫愚癡。他認爲自己很聰明，就是在世間法上，搞陰謀詭計，搞政治鬥爭，他自認爲很聰明，但是對佛法，他不聰明了。所以愚癡是指這樣說的，他這樣的來破壞三寶，毀滅三寶。等他命終之後，墮三惡道，受無量種的增上猛利難忍的苦毒。

那種受苦的刑具是無量的，大家念過《地藏經》就知道了，你說我們在人間受苦的，多種多樣的，我們雖然沒有什麼刀砍，火燒，或者沒有那種苦。我們觀照一下自己內心的痛苦，不論哪一個人，除非你斷了煩惱，斷了見惑，還有思惑的痛苦，思惑都斷盡了，還有塵沙無明的痛苦。

誰不苦？唯佛與佛才不苦，究竟得樂，剩下的都有苦。二乘人，他是分段生死苦，一段一段的，死此生彼，生彼死此，這叫分段生死苦。二乘人，證果之後，他變異生死苦，眞常留住成無明。黑暗，變異生死苦，必需斷二十次苦，登三德岸，才能夠眞正證得法身，那苦才能滅。不然，都在苦中。

因此所受的無量種苦，跟那個果，愈在苦的時候愈不能行善。人被那苦迫逼的時候，善心所生不起來，只能想辦法解除痛苦。我要解除痛苦，必須嫁禍於人，我們在監獄裡頭就是這樣子。有些人天天去打小報告，爲什麼？他想解除他的痛苦，就要拿別人來替代。我們在那裡有個口號，說你要想建立幸福，得建立在別人的痛苦上，否則建立不起來。我們就說，你這個人，三天不害人，走路沒精神。飯也吃不下去了，話也說不成了，他不害人，他就沒有辦法了，連精神都沒有了。他那個惡的行爲，成了他的性，習惡成性。這樣子要受苦，受無量猛利難忍的苦毒，這要經過多長時間呢？無量百千俱胝那庾多，那麼多劫，我們不說大劫，就算小劫，那個時間長極了，在這麼長的時間裡，想要恢復人身難了，恢復不到了，前面說了很多，如前廣說，不再重複了。

「善男子，如是眾生，寧處無間大地獄中受諸重苦，不受如是鄙惡人身，憍慢貢高，隨順惡友，造作如是惡不善業，流轉生死，難可濟度，常處生死，受諸苦惱。」

假使說從監獄出來了，可是六根不全，乃至出來盡害人，盡造罪，造完罪又回去了，又回地獄去了。我們經常說沒有地獄，但是他的業感到了，他看見是有的。

在中國東北發生過這麼一件事，那時候我還很小，也跟著去看。有一個小孩子不大，只有十八歲、十九歲，突然之間在自己家裡地上，來回的跑，誰叫也叫不出來，等到跑完了，倒在地上，一看，他的下半身，燒的那個泡，不得了。後來，他才說，這塊地，我們看見的是一般的土地，什麼都沒有，他看見的都是火，他怎麼也跑不出來。等到他實在沒有力量，他就倒到地上，那火也沒有了，別人才把他拉出來，混身都是燒的血泡，燒的都黑了。

這是什麼業呢？不可理解。我們那個縣分，不太大，那時候，瀋陽叫奉天，奉天新聞報的記者到那兒去採訪，他也不知道是什麼原因，就如是寫。

我們看佛經記載好多事，如果你走的地方多，好多佛經上的事，你可以證實的，像西藏，跟青海、四川、甘肅，那麼幾省交界，誰也管不到，這邊區地點，夷族，藏族，黑山族，夷族就九十六種，不是單純的一種，他有黑夷、白夷、花夷，名堂可多了，那些人連做人的道理，他完全不懂，而他們講的，跟我們講的不一樣。要做那個地方的人，生那個地方去，他還繼續打鬥。這個族跟那個族打，沒有一天不打的。這家跟那家打，就打冤家，一打就打了幾百年。還在打，沒完沒了。

怎麼知道他是我的冤家呢？如果我殺死你家族的一個人，先是打打，中間有別的族來調和，就不打了。這就講價錢賠，好多錢。但是有些東西賠的價錢不大，一件傘、一個木碗，還有他洗的東西。完了，用那個三件東西給他。這個家就把這木碗這木傘，保存起來。之後，她會生小孩子，男孩子女孩子都會跟他說：「殺害你叔叔的，或者殺害你爸爸的，你要記住，長大要報仇。」這麼一代一代的互相殺過來殺過去，每家都收集了很多木碗，擱在櫃子，拿來做爲教育的工具了。這就是增長仇恨心理。

像這種人，要是做人的時候，苦難無窮，永遠不曉得怎麼樣從地獄爬出來了，完了，馬上又回去了。你想這樣做人，這種鄙惡人身，有什麼憍傲自滿的呢？貢高我慢的呢？這種人都是隨順惡友。「方以類聚，物以群分。」看你跟什麼人打堆，好像是必然的；是人爲的，是自然的劃分，都是這樣的。各黨各派都是這樣子，黑道白道都如是。這種惡，他們所做的惡，都是不善業。不善業，當然在生死流轉，難可濟度，常處生死，受諸苦惱。佛說，像這種人，佛都沒有辦法救度他。

「難可濟度，常處生死，受諸苦惱。」這都是形容地藏菩薩的願大，因為很多難度的，他都發願去度。所以他到地獄裡去，這個人下地獄，下地獄出來又回地獄。他的惡行纍纍，沒有辦法計算的，地藏菩薩到地獄去度他們，所以叫《地藏大集十輪經》。如果大家看著《地藏經》、《占察經》、《大集十輪經》，你就知道感恩，感覺到地藏菩薩對我們的恩德特別大。

「爾時會中有無量無數大慧有情，從座而起，頂禮佛足，合掌向佛，悲泣墮淚，而白佛言：大德世尊，諦觀如是世間眾生，雖皆獲得難得人身，而遠離正信，遠離正願，遠離正意樂，遠離正見，遠離善知識，遠離好時，遠離好處，遠離淨戒，遠離正定，遠離正慧。如是眾生，雖皆獲得難得人身，而由愚癡憍慢力故，造作如前所說重罪，毀謗世尊所說正法，觸惱世尊出家弟子，我等今者對世尊前，以至誠心，發眞誓願。我等從今流轉生死，乃至未得解脫已來，常願不遇如是惡緣，決定不造如是重罪，終不毀謗諸佛正法，亦不觸惱諸出家人，必不挑壞眾生法眼，亦不斷滅三寶種性，惟願世尊哀愍攝受我等所發如是誓願。」

前面所說的那些罪都是什麼人做的呢？在這個會中，無量無數，不是百位千位萬位，而是無量無數的；是有大智慧的一批有情，當然都發菩提心。這些眾生從他們的座位起來，向佛頂禮，他們悲泣痛哭，人不傷心是不會落淚的。悲泣比哭還厲害一點。所以落淚還是有情的眾生，有情就有眼淚，情感動了就往下流。發瞋恨心，冒火就上升，怒髮衝冠；情感重了，就往下流。這兩種都是不好的，不自然的。

他要悲愍眾生，就看到前面佛說這麼多受罪這個惡人，我們諦觀，如理的觀察，審實的觀察，叫「諦」。從諦理上觀察，從性體上觀察，從佛教化的教義如理觀察世間所有這些眾生。雖然是獲得難得的人身，佛說得到一回人身，有好難呢？佛說了個比喻，失人身如大地土，得人身如爪上塵。說你得一回人身，就像指甲的塵土，那麼稀少，失掉人身，就像大地那麼多土。諸位道友，我們為什麼得人身？我們在多生累劫的時候，對三寶都是有一定因緣的，就是我們今生在這遇見一回，我們大家共同學習，都不是一生十生百生，而是經過好多佛所，是種過善根的。

你怎麼用現實的情境，來對照佛所說的，對照這些有智慧人所說的。人身這麼難得，拿來不值一文，就糟塌了。這回失了人身，再想做人，不是像我們說的，或者像他所說的，死了就沒有了，沒有那麼便宜的事。哪有那麼便宜事，死了就沒有了？殺人放火造這麼多惡業，你不去受，就沒有了？不會的。所以這個世間上的人，為什麼有的人是大富的，有錢的？有的那麼享受的，為什麼有的那麼窮的？他就把這個難得的人身，糟塌了。要是眞正糟塌了還好一點，他是用他來造業，造什麼業呢？給自己造地獄，地獄都是自己造的。

這樣子一來，你把好的時候、好的處所都遠離了。什麼叫好的時候？佛出世的時候，你沒有來。佛在世，佛生到那兒，你沒有去，善知識生到那兒，你沒有去，你離他很遠，你生到邊地，你聞不到佛法，聞不到正法。完了，又去再造業，這就如前面所說的，而滅佛，滅法，滅僧；對法器、非法器逼害，你對佛所說的正法毀謗，觸惱世尊出家弟子，現在我們感覺很恐怖。

「時眾會中復有無量百千俱胝那庾多聰慧有情，從座而起，頂禮佛足，合掌恭敬而白佛言：大德世尊，我等今者對世尊前，以至誠心，發眞誓願，我等從今流轉生死，乃至未得法忍已來，於其中間，常願不處諸帝王位，常願不處諸宰官位，常願不處諸國師位，常願不處城邑聚落鎭邏長位，常願不處諸軍將位，常願不處諸商主位，常願不處一切祠祀寺觀主位，常願不處長者居士沙門主位，常願不處諸師長位，常願不處諸家長位，常願不處斷事者位，常願不處乃至一切富貴尊位。乃至未得法忍已來，我等若處如是諸位，則於佛法名惡因緣，造諸重罪，毀謗諸佛所說正法，觸惱諸佛出家弟子，必當挑壞眾生法眼，亦為斷滅三寶種性，亦為損惱無量有情。由是定當墮無間獄，輪轉惡趣，難有出期。唯願世尊，哀愍攝受我等所發如是誓願。」

這些大會的人希望做什麼呢？可別當帝王！一般人恰巧相反的。有好多人想來世做國王，他們恰巧相反的，希望別當國王，希望別當宰官，別當國師。出家人，給皇帝做老師叫國師。「常願不處城邑聚落鎮邏長位」，鄉長、村長、乃至區長，乃至縣長，這些地位，我都不要。

「常願不處諸軍將位」，千萬別帶兵，也別當將軍。為什麼呢？過去有首詩，說是當將軍的，一將功成萬骨枯。你當將軍，等你成就到將軍地位，會造許多的業，說萬，只是個大致的數目而已，不知道要殺多少人，那個罪業很大的，所以不願處這個將軍的位置。

也「常願不處諸商主位」，別當大老闆。我們這裡頭有些商主，有些道友，爲什麼不處商主位呢？這個你們可以想的到，我們有些是大老闆的眷屬，這裡也有幾位大老闆，你想想當大老闆的苦難！這還不算，黑道要綁你，官家要化你，要脅你，和尚化緣也要找你，因爲你有錢，你的苦就多了。

大家還知道化緣有硬化的。東北修的大廟，大家看過〈影塵回憶錄〉就知道。有位朱子橋老將軍，他過去做過黑龍江的將軍，到了民國年間，他只當賑濟委員會委員長，他就跟蔣介石要這個地位，他說這個是做慈善事業的。他化緣是硬化，怎麼硬化？他的老朋友被他化緣化到怕了。他修的廟也多，賑災也多，災民那麼多，一下黃河出口，他就去了；在中國東北，他跟張學良化緣，化了多少萬擔，那個高粱米，人要吃，他就專找這個頭頭，他化的數字都很大，他到上海就化他的道友。

有個笑話是他坐在朋友的客廳等，他的朋友在廁所不敢出來。怎麼辦呢？

他就到廁所喊：「你出來吧！我化的數字不多，只是一萬塊錢，一萬塊錢就行了，你就可以把我打發走了。」那個時候，一萬塊錢大洋，還是很多的。

有時候他化的很多，但是他很窮，什麼都沒有，這個人很有道德，任何人不做的事，他就做。他的太太比他大十五歲，大家想想這是不可能的，他的太太是他家裡丫環，他們家父母早死，就他這麼一個獨生子，別人都走了，就這個丫環撫養他。等到他成人了，丫環怎麼處理呢？他說：「我跟妳結婚好了！」這丫環說：「這怎麼可能，我比你大太多！」他說：「不然，我無法報答妳！」後來一再要求丫環跟他結婚，結了婚，他絕對沒有二念，而且生的子女都很好的。

我是講這個人的私德，他過去當將軍的時候，叫朱屠夫。大家知道爲什麼叫朱屠夫！他的名字叫朱慶南，號叫朱子橋，殺人太多了。後來他懺悔，放下屠刀立地成佛。他說：「我能殺人，我也能救人。」他那個賑災，濟恤都不曉得救了好多人。後來他跟我們倓老法師最好，他跟我們都隨便談。他說：「我救的人比殺的人多，可以抵過吧！」我們跟他說：「抵不了！佛經上並沒有說可以抵的。說你殺那些人，你一個一個還，你救了那些人，他們一個一個報答你，沒有抵。」「那有什麼法子才能夠抵？」我說：「你修空觀，空了，也沒有什麼所救的，能救的。所救沒有，能殺所殺沒有，這就都解決了，什麼都沒有了。」

這是講心懺，萬法唯識。唯心，你要用這個觀修了，一切罪都不存在，空的，罪性本空唯心造。

這個觀不好修，說的很容易，我們講《占察善惡業報經》，下卷就講這個觀。大家看看這個觀好修不好修？不過不要緊，有個方法，地藏菩薩最後教我們一個方法，念我的名號，這個觀就能修成，念念你就觀地藏菩薩是空的，是我自己的心，就行了。現在還說不到那兒。先說苦吧！這苦還要來，怎麼離開這個苦？他說，我不要當師長位，也不要當這個商主，不要做大生意，當大老闆，也不要在祠堂當管廟的廟主，也不要在寺院當當家的，這些我都不要，還不願當長者居士沙門的主位。

我們出家人，發願當法師的很少。佛學院畢業，想找一兩位法師很難，當法師是很困難的，業很多。說錯了一句話，撥無因果，就墮下去了。你不知道怎麼說錯了？但是你自己就有這麼大的知識，又怎麼辦呢？假使都不弘揚佛法，法師不是斷了嗎？法斷了，一切衆生不得度了，法眼沒有了。那麼這個罪惡大嗎？我弘法犯了罪，還是我自己下地獄罪惡大呢？這個時候，我有兩個考慮，地獄門前僧道多，爲什麼？大家可以想像得到，我不再說了。

宋代眞歇了禪師，他是鼓山湧泉寺的方丈，講經弘法，道德很高，聽經的人上千，起碼是幾百人，功德很大。後來他害病的時候，移到火葬場旁邊的一間房子。那間房子說是停屍間也可以，凡是你病重了，救不了，沒有辦法活了，就抬到那裡。抬進去了，一冷他醒了，看一看自己在涅槃堂，涅槃堂就是不生不滅，抬到那裡等著燒，後來他好了，就作了一首詩，教育說法的人。

「講道論法實可傷」，談經說法講道理，說的頭頭是道，但是自己沒有證得，實在是個傷心的事。「終報身臥涅槃堂」，從早到晚在涅槃堂等死。「門無過客窗無紙」，他當大法師時，弟子多得很，這個來看，那個來看。到了涅槃堂都沒有了，一個客人也沒有。窗戶是那個紙糊的，那個時候是宋朝，都是紙糊的窗戶，那個紙風一吹都吹破了，也沒有人去糊涅槃堂的窗戶。死人的房間，糊它幹什麼？沒有人管，所以那風都吹進來了。

「爐有寒灰蓆有霜」，那個涅槃堂要生個火盤，很冷，火沒有人去燒，都是冷灰，寒灰。那個蓆子，因爲窗戶沒有紙，刮風吹著，把霜都吹到蓆子上。「病從始知身是苦」，等你害病了，才知道身子是最苦的，有身最苦了。「健時都爲他人忙」，身體好的時候，你不修行，你去幫助別人，給這個加持，給那個求感應，給那個念經，拜懺，就忙別人的事情。這樣對不對呢？是對的。這個時候，他說的是傷心話，告訴講道論法的人，別把自己忘了，就是這個涵義。

後面兩句話，他做到了，所以後面叫眞歇了。「老僧自有安心法」，我自有安我心的方法。「八苦交煎總不妨」，八苦都來了，沒有關係。這兩句話是他在涅槃堂悟道了。

所以這些大德們，見著這種情況，他說千萬別當師長，千萬別當長位，乃至於不論你當什麼，就是沙門，主位或者什麼居士的主位，當居士領長都不要幹，發這麼個願。還有這一切的師長位長者位，乃至於給人家處理，斷公平不公平，這可能是說當律師。

「常願不處斷事者位」，或者是法官判案的，斷事的，或乃至於富貴尊位。總說，凡是尊貴的位置，得到人家恭敬的，我都不要，我沒有得到法忍，未成道以前，若處這個位置，我在佛法上一定產生惡因緣，會造種種的罪。

因此，我不想斷三寶種性，我不想毀滅佛的正法，我也不想損害無量的有情，「由是定當墮無間地獄，輪轉惡趣，難有出期，唯願世尊」，你慈悲攝受我們，讓我們所發這個願，能夠滿願，我就當個平常的修行者，信奉三寶，這又是一批人。

「爾時一切諸來大眾，天龍藥叉健達縛人非人等，皆從座起，頂禮佛足，悲號感切，涕淚交流，合掌恭敬而白佛言：大德世尊，我等無始生死已來，愚癡憍慢，起諸惡業，或身惡業，或語惡業，或意惡業，自作教他，見聞隨喜，如是諸罪，今對佛前，皆深慚愧，發露懺悔，不敢覆藏，願悉除滅。從今以往，永不復作，防護當來所有罪咎，第二第三亦如是說。我等至誠發眞誓願，從今乃至生死後際，於其中間，常願不逢諸惡知識，亦願不遇諸惡因緣，設當逢遇，願不隨順，決定不造如前所說諸惡罪業，勿令我等長夜受苦，唯願世尊哀愍攝受我等，所發如是誓願。」

這是哭出聲音來，號就是大哭。「涕淚交流，合掌恭敬而白佛言：大德世尊，我等無始生死已來，愚癡憍慢，起諸惡業，或身惡業，或語惡業，或意惡業，」三業盡造惡，自己做不算，還教他人。「見聞隨喜，如是諸罪，今對佛前，皆深慚愧，發露懺悔，不敢覆藏，願悉除滅，從今以往，永不復作。」發願再不做這些惡。

「防護當來所有罪咎」，「第二第三亦如是說」，如是者，一類一類都這麼發願，也跟他說的相等，大都差不多。大概都是玄奘法師翻譯的，相同的，不用翻譯太多了，就加個第二第三，大致都是這個意思。什麼願呢？說我們千萬別遇到惡知識，要是遇到惡知識，他都把我們拉入地獄，不願意遇到這些惡因緣。「設當逢遇」，「願不隨順」，決定不造如前所說的衆惡罪業。「勿令我等長夜受苦，唯願世尊哀愍攝受我等，所發如是誓願。」

「爾時世尊普告一切諸來大眾：善哉！善哉！汝等乃能於後世苦深見怖畏，發露懺悔，汝等今者欲度生死深廣瀑流，欲入無畏涅槃之城，發如是願，諸善男子，有十種法，能令菩薩摩訶薩等，獲得無罪正路法忍。何等爲十？諸善男子，若諸菩薩摩訶薩等，不著內身，不著外身，不著內外身，不著過去身，不著未來身，不著現在身，名第一法，能令菩薩摩訶薩等獲得無罪正路法忍。」

上面有這麼多，一類一類的，我就給他們總結的說，「善哉！善哉！」，你們發的願都很好。「汝等乃能於後世苦深見怖畏」，你們對待後世的苦，都能明瞭了，而且觀照的很深刻，發生恐怖，所以「發露懺悔」。現在，「汝等今者欲度生深廣瀑流」，生死苦海又深又廣，像瀑流水似的，想進入「無畏涅槃之城」，沒有恐怖，進了涅槃城就成道，成了佛就沒有恐怖。所以「發如是願，諸善男子，有十種法，能令菩薩摩訶薩等，獲得無罪正路法忍」，我們要得法忍嗎？這就是正當的道路，就能達到法忍，達到成道。

「何等爲十？諸善男子，若諸菩薩摩訶薩，不著內身，不著外身，不著內外身，不著過去身，不著未來身，不著現在身，名第一法。」不要執著你的身體，你的身體是無常的，用身代表什麼？代表色法，一切有形有相都會消滅的，特別是衆生我見多，都是以我爲主。爲什麼呢？我這個身體要享受，我這個身體要舒服，總是財色名食睡，都是爲了這個身體。先把身見斷了，內身、外身一切身都要斷了。

這是第一種方法，斷身見，這叫色法。因爲下面講的，他是身受行識，這是所說的色聲香味觸，乃至是色受想行識，舉個色受想行識就代表了，就是第一法。完了，再斷除三界，欲界色界無色界，一共十法，就是這個。「能令菩薩摩訶薩獲得無罪正路法忍」，這是第一法，使一切的菩薩都能夠得成佛。

「又善男子，若諸菩薩摩訶薩等，不著內受，不著外受，不著內外受，不著過去受，不著未來受，不著現在受，名第二法，能令菩薩摩訶薩等獲得無罪正路法忍。又善男子，若諸菩薩摩訶薩等，不著內想，不著外想，不著內外想，不著過去想，不著未來想，不著現在想，名第三法，能令菩薩摩訶薩等獲得無罪正路法忍。又善男子，若諸菩薩摩訶薩等，不著內行，不著外行，不著內外行，不著過去行，不著未來行，不著現在行，名第四法，能令菩薩摩訶薩等獲得無罪正路法忍。又善男子，若諸菩薩摩訶薩等，不著內識，不著外識，不著內外識，不著過去識，不著未來識，不著現在識，名第五法，能令菩薩摩訶薩等獲得無罪正路法忍。」

「又善男子，若諸菩薩摩訶薩等，不著內受，不著外受，不著內外受，不著過去受，不著未來受，不著現在受，名第二法。」這是色受想行識，這五個就連前面都講過了。不過文字稍微變化一下。

這裡包括八識，我只總講一下，這叫色受想行識五蘊，觀自在菩薩是用深般若照見五蘊皆空，色受想行識。現在佛告訴我們，你只要不執著，這就叫修觀。同時你也不要執著此色，不要執著彼色，那麼你漸漸的就能夠得到成就了，這叫正路法忍。

你雖然能夠不執著五蘊，但是用智慧照空，我們還達不到。因爲你必須能夠進一步知道五蘊皆空的。怎麼樣能才能不執著？不貪著？你得修空觀。這個就在另外一方面的意思。你用觀照，前面講了，《大集十輪經》就教我們修觀，數息觀，好好修一修就能得到。

「又善男子，若諸菩薩摩訶薩等，不著此世，名第六法，能令菩薩摩訶薩等獲得無罪正路法忍。又善男子，若諸菩薩摩訶薩等，不著他世，名第七法，能令菩薩摩訶薩等獲得無罪正路法忍。又善男子，若諸菩薩摩訶薩等，不著欲界，名第八法，能令菩薩摩訶薩等獲得無罪正路法忍。又善男子，若諸菩薩摩訶薩等，不著色界，名第九法，能令菩薩摩訶薩等獲得無罪正路法忍。又善男子，若諸菩薩摩訶薩等，不著無色界，名第十法，能令菩薩摩訶薩等獲得無罪正路法忍。」

「善男子，若諸菩薩摩訶薩等不著此世」，你這一生什麼事都不要執著，不著就是不執著的意思，這就是第六法。又善男子，若諸菩薩摩訶薩等不著他世」，此世不執著，他世也不要法忍。「能令菩薩摩訶薩等獲得無罪正路執著，過去也好，未來也好，都不要執著，這叫不著三世。過去未來，過去的已經過去了，不要想他，現在的不住？一下子又過去，就變成三世皆空的。未來，未來還未來，你想它幹什麼？究竟怎麼樣？凡事都要講計劃，那是錯誤的。計劃不由你計劃，你不知道自己的業果是怎麼樣安排的，人都不能安排自己。好像是自己安排的，其實你是瞎操心，早就安排好了。

你怎麼做怎麼受，除非你現在轉變，怎麼轉變的呢？你聞了佛法，而且能行，現在你一天念著地藏菩薩，你當成救命王來了，又抓著他不放，就這麼念吧！這起碼轉變了，三塗再不受了。聞著地藏王名字，就不落三塗了。有的人說，在睡夢中念地藏菩薩不靈，不是夢中念的不靈，是你醒的時候，沒念靈，你念的不是心念，要是心念就靈。做夢，你一念，夢境就沒有了，要生死都了得到，何況做夢呢！要相信。

「又善男子，若諸菩薩摩訶薩等，不著欲界，名第八法」，就是我們所住的世界，叫欲界。欲界有六天，加上人間，加上畜生，加上餓鬼，加上地獄，這都是屬於欲界的。「不著色界」，有十八梵天，這叫「第九法」。「能令菩薩摩訶薩等獲得無罪正路法忍。又善男子，若諸菩薩摩訶薩等，不著無色界。」無色界是空的，既然無色界是空的，還作什麼呢？到了無色界天，那是羅漢定，羅漢定他不發菩提心，到了一定的時候，他就動搖了，還得發菩提心，那空也定不久。所以不要去執著無色界。「名爲第十法，能令菩薩摩訶薩等獲得無罪正路法忍」，就能夠成佛。如果連三界都不執著，當然成就了，他就不受苦。

「諸善男子，是名十法，能令菩薩摩訶薩等獲得無罪正路法忍。世尊爲衆說此法時，於衆會中，有七十二百千俱胝菩薩摩訶薩同時證得無生法忍，復有八十四百千那庾多菩薩證得隨順法忍，復有無量百千聲聞，乃至永斷一切煩惱，成阿羅漢。復有百千那庾多衆生，先未發心，今發無上正等覺心，於如來智住不退地。復有無量無數衆生，先未發心，於今乃發獨覺乘心。復有無量無數衆生，先未發心，於今乃發聲聞乘心。」

佛說法的時候就有七十二百千俱胝菩薩摩訶薩，同時證得無生法忍，登地了。聽到那麼一說，大家一求加持，他們登了地，我們現在還沒有入，信不信？希望大家信，我們就信無生法忍，並不是入。我們能信無生法忍，將來一定能證入，信爲一切功德母，有信就能進入。

「復有無量百千聲聞，乃至永斷一切煩惱」，除了這個，還有百千的八十四百千那庾多菩薩，得隨順法忍。「復有百千聲聞，乃至永斷一切煩惱成阿羅漢。復有百千那庾多衆生，先未發心，今發無上正等覺心。」我也想成佛，這是發心。剛發心的菩薩，「於如來智住不退地」，誰發心，這些人都能夠住到不退地，如來的智慧是不退地，到了初住就不退了。要是到了七住，七住就位不退；初住心不退，七住位不退，那就是不退位了。他相信佛的一切智慧，我一定能成道。

還有無量無數的衆生現在發心，發什麼心？不是成佛。「發獨覺乘心。復有無量無數衆生，先未發心」，於今發心了，發什麼呢？我了生死就好了，發的是「聲聞心」。

「爾時世尊復告大衆：若諸有情已得法忍，處剎帝利灌頂王位，受用種種勝大財業，及處種種富貴尊位，是我所許，非餘有情。金剛藏菩薩白佛言：世尊，若諸有情未得法忍，於刹帝利灌頂王位，受用種種勝大財業，及餘種種富貴尊位，定不許處，爲亦許耶？」

已經得了法忍，「處刹帝利灌頂王位，受用種種勝大財業，及處種種富貴尊位，是我所許非餘有情」，做刹帝利，除了造業的旃荼羅王之外，還有已經證得無生法忍了，登了地的菩薩。他們要示現化現，就處灌頂王位。受那個王位所應當享受，這是我許可的，別的有情不可能。「金剛藏菩薩」，就問佛，「世尊」，「若諸有情未得法忍，於刹帝利灌頂王位，受用種種勝大財業，及餘種種富貴尊位，定不許處。」一定不許可，「爲亦許耶？」或者還可以許可他，就是除了這個已經得了法忍的，佛就許可了。如未得法忍，還有什麼方便法許可他處刹帝利灌頂王位呢？

「世尊告曰：若諸有情未得法忍，有能受行十善業道，亦勸衆生令受學者，我亦聽許處刹帝利灌頂王位，受用種種勝大財業，及餘種種富貴尊位。若諸有情未得法忍，亦不受行十善業道，及勸眾生令勤受學，以強勢力，處刹帝利灌頂王位，受用種種勝大財業，及處種種富貴尊位，名刹帝利旃荼羅王，及餘種種富貴尊位旃荼羅王，愚癡憍慢，毀壞擾亂，我甚深法，滅正法燈，斷三寶種。於我出家諸弟子眾，種種惱亂，捶拷刑罰，奪其衣鉢基業財產，退令還俗，課稅役使，繫閉牢獄，乃至斷命。於我所說微妙法義，誹謗輕毀，障蔽隱沒，不令流布，奪窣堵波及僧祇物。如是諸人，皆當墜墮無間地獄，受諸劇苦，輪轉惡趣，難有出期。」

「世尊告曰：若諸有情未得法忍」，他沒有證得無生法忍，未登到這個位，但是他能夠受行十善業道，這個我們都能做得到；無生法忍，我們還做不到。十善業道，你防護身口意三業，可不是啞巴，不說話。有些人說，我不說話，口業就防護了。但是啞巴，瘂羊僧，啞巴都成道？啞巴都沒有作業，說不出來怎麼說？不是那個意思，別說錯話，是說讚揚三寶話，你多說好話，對誰都別說惡話，那就對了；不是不說話，多講佛經，對誰多講三寶，多講因果。

還有，你可以看看那眾生的煩惱，或者是愛情片，愛情的煩惱特別重，所走的道路是死亡，而且業非常的深，自己拔不了貪欲。你從哪個角度看，你戴什麼眼鏡看，就現什麼，這是絕對的。戴有色眼鏡看，當然是有色的。

所以「受行十善業道」，「亦勸眾生令受學者，我亦聽許處剎帝利灌頂王位，受用種種勝大財業，及餘種種富貴尊位。若諸有情未得法忍，亦不受行十善業道，及勸眾生令勤受學，以強勢力。」這個勢力是什麼勢力？增長你生天，乃至於成道，乃至當來做人，生生世世都來學。我也聽許受用種種勝大的財業，登了灌頂王位，沒有關係，他不會造業的，可以受種種富貴。

相反的，要是剎帝利的，「旃荼羅王，及餘種種富貴尊位旃荼羅王，愚癡憍慢，毀壞擾亂，我甚深法，滅正法燈，斷三寶種。」那個法在社會上就像智慧燈一樣的，有他才能照到光明，破除黑暗，三寶種他都斷絕了。

「於我出家諸弟子衆，種種惱亂，捶拷刑罰，奪其衣鉢」，出家修道者的資具，這是他的基業，把這個都給奪了，他還怎麼生存了呢？或者是，勸令他還俗，或者科他的刑役，「繫閉牢獄，乃至斷命。於我所說微妙法義，誹謗輕毀，障蔽隱沒，不令流布。」窣堵波就翻塔，或者寺廟，以及僧祇物，你給他搶了，就是「搶僧祇物」，搶寺廟物，「如是諸人，皆當墜墮無間地獄，受諸劇苦」。這是毫無問題的，一定受劇苦，輪轉惡趣，難有出期，再想出來很困難了。

「時金剛藏菩薩復白佛言：世尊，若諸有情未得法忍，亦不受行十善業道，及勸衆生令勤受學，以強勢力，處刹帝利灌頂王位，受用種種勝大財業，及餘種種富貴尊位，頗有別緣，得方便救，令其免墮無間地獄，及餘惡趣，受諸苦不？」

還有什麼原因來救他呢？「令其免墮無間地獄，及餘惡趣，受諸苦不？」

「世尊告曰：亦有別緣，得方便救，謂有眾生處剎帝利灌頂王位，及餘種種富貴尊位，雖復未得成就法忍十善業道，而有信力尊敬三寶，於佛所說三乘相應諸出要法，下至一頌，終不謗毀障蔽隱沒，不令流布。於佛出家諸弟子眾，持戒破戒，下至無戒，剃除鬚髮被袈裟者，皆不惱亂捶拷謫罰，侵奪衣鉢基業財產，退令還俗，課稅役使，繫閉牢獄，乃至斷命，亦不侵奪窣堵波物及僧祇物，遮制摧伏諸暴惡人，不令惱亂諸出家眾，不令侵奪三寶財物，於佛所說三乘相應諸出要法恭敬聽受，既聽受已，精進修行法隨法行。於我三乘賢聖弟子，恭敬供養親近承事。於大乘中誓願堅固，終無疑難退屈之心。亦常勸導安置眾生，令於大乘信受修學。此剎帝利旃荼羅王及餘種種富貴尊位旃荼羅王，過去諸佛，皆共聽許處帝王位，及餘種種富貴尊位，雖復受用種種國土城邑聚落勝大財業，而得免墮無間地獄及餘惡趣，我亦聽許處帝王位，及餘種種富貴尊位，雖復受用種種國土城邑聚落，而得免墮無間地獄及諸惡趣。若諸有情欲得懺悔除滅一切諸惡業障令無餘者，於我所說如是法門，當勤修學，勿令廢忘，有能如此現前大眾慚愧懺悔諸惡業者，先世所造一切惡業，皆得銷滅無有遺餘。」

方便善巧，是救度他們的。有的眾生處了刹帝利灌頂王位，或者是其餘的種種富貴尊位，不一定是什麼位子，總之是富貴尊位，雖然是未有成就無生法忍，或者未有成就法忍，或者十善業道都未成就，但是他有信心。就憑著信仰，對三寶恭敬，尊敬三寶。於佛所說的聲聞乘，獨覺乘，大乘，相應的諸出要法，恭敬聽受。出要法，就是出離生死最要緊的方法，最善巧的方便要道之法。

「下至一頌」，只說一個偈頌，別的不會說，只會說「一切有為法，如夢幻泡影，如露亦如電，應作如是觀。」這麼一個偈頌就不得了，就是全部《金剛經》的要義，你給人家講，人家一聽到，一切有為法都是苦的，都是空的，無常的幻化的，我還貪著什麼？他就證道了，解脫了，你的功德就大了。

在正法的時候，就是這樣子，只要聞到一個偈頌就開悟了。佛最初度五比丘之一的馬勝（阿說示）比丘，舍利弗遇見馬勝比丘，看見他的威儀。他說：「你的師父是誰？你師父說什麼法？」馬勝比丘說：「我只給你說兩句，諸行無常是生滅法。」舍利弗就證得阿羅漢果了。這就是一個偈，兩句話。

六祖慧能聽見旁人讀《金剛經》，「應無所住而生其心」，他就開悟了，成就了，就是一句話。不過，讀《金剛經》的人並沒有開悟，聽經的人開悟了。我在這裡講經，我沒有開悟，你們開悟了，這就是你們的功德，我也有了。這樣的人，我也許可他享受那些財富。為什麼呢？因為他不謗毀，不隱滅，對聖法不謗毀，不隱滅，他不會不令流布的。於出家的諸弟子衆，持戒破戒下至無戒，只要剃除鬚髮被袈裟的，他都不會惱亂他們，捶拷他們，謫罰他們，侵奪他們的衣鉢基業財產。

「退令還俗，課稅役使，繫閉牢獄，乃至斷命」，他不會做的。這個是有信心的，刹帝利王，乃至斷命，「亦不侵奪窣堵波物，及僧祇物」，他不去做。窣堵波，寺廟的財產他不去沾染，也不會搶奪。他能夠遮制摧伏了那些暴惡的人，也不令他們惱亂出家衆，也不令他們侵奪三寶財物。刹帝利王，他有權力，所說三乘的相應諸出法要，都能夠恭敬聽受，聽受已，還能夠照著去做，精進修行，修行法隨法行。

怎麼樣法隨法行呢？例如生滅法，他沒有說，只是依事物，看這個壞了，爲什麼壞了？無常的，這叫隨順。他不知道佛法，但是他能夠知道這個涵義，這叫隨順佛法的。違背佛法呢？佛說無常，他就把他譯成斷滅了，他說這是釋迦世尊所說的，諸行無常，無常就沒有了，這就不隨順法。同是一句話，順著說就能成道，就福德無量，不順著說，罪業無邊。這個是說隨順法，我們往往就理解錯了，就是說他不隨順是法。於佛所說的三乘相應諸出要法，恭敬聽受。

聽受已，能「精進修行」，那就是「法隨法行」，隨順三乘法的，隨順三乘法的，我們說空，空者就是顯妙有的意思。如來諸功德藏，不空，空是一切的煩惱斷盡了，諸如來功德藏不空。眞正見了法身，諸如來藏也空了。但是隨順法，看你怎麼說，「於我三乘賢聖弟子，恭敬供養親近承事」。

但是，始終於大乘誓願，堅固終無懷疑，或者危難，或者退屈，這個心從來不懷疑，就是「終無疑難，退屈之心」，不因爲法難，不因爲修行道路長遠，而懷懼退二乘。大乘堅固，「亦常勸導安置衆生，令於大乘信受修學」，讓一切衆生信大乘法，好好的修，好好的學。「此剎帝利旃荼羅王及餘種種富貴尊位旃荼羅王，過去諸佛皆共聽許」，說這惡王，也聽許他，只要他改變了，不做惡了，皆共聽許處帝王位。過去諸佛都是這樣聽許的。「及餘種種富貴尊位，雖復受用種種國土城邑聚落勝大財業」，國內的所有財富，他受用了，那不會墮無間獄的；這是佛所聽許的，也不會墮到其餘的惡趣。

我還「聽許處帝王位，及餘種種富貴尊位，雖復受用種種國土城邑聚落，而得免墮無間地獄及諸惡趣」，就是惡王，只要懺悔，也許可他。

印度提婆達多跟無厭足王，一個害佛，一個害死他父王，犯忤逆罪；害死父王，兩個都應該墮地獄。無厭足王後來懺悔，護持佛法，護持三寶，佛也聽許他懺悔，就能夠得到清淨。所以諸有情，能夠懺悔就好，能夠除滅一切惡業的業障。

「於我所說如是法門，當勤修學」，我說這兩種十法，要好好兒修學，一個修十善業法，十善業法是我們做得到的。其實十善業就是正路法忍，大家體會一下，十善業是你做的功德，有深有淺，不殺，不只我不殺，我勸一切人不殺，這個十善業就不是一般的十善業了。不但我不飲酒，我勸一切衆生不飲酒。爲什麼不飲酒？跟他們講清楚。不殺不盜，就是五戒。

有的道友怕受五戒，說怕受了，犯了怎麼辦？犯了當然是錯誤的，犯了，你就懺悔，隨犯隨懺悔。但是你曉得不曉得受五戒的功德？你受了五戒，不失人身，知道嗎？這個你就不知道了。只想到不利的一方面，有利的一方面，爲什麼不考慮？

你受了五戒，就有二十五個護法神保護你，你想犯戒，他總是給你作遮難，使你不犯。現在你沒有受戒，五種罪事，照樣的有，你殺人不犯罪？你能脫罪？你受了戒，之後你卻殺了人，你在佛前懺悔也念經咒加持，他就以別的力量幫助你，不要生起邪知邪見。

受了戒，犯了怎麼辦？這個見是不正確的，爲什麼要去犯？那些戒，你雖然不受，你犯了也是罪。佛就制戒了，說你不要犯這個。我再說一種戒的功德，戒有加持力，是加持你不去做。殺盜淫，我想沒有一個衆生不犯的，而且國家許可犯的。

像他執行職業上的責任，你說這是殺生；殺豬殺羊，犯什麼罪？誰給他定的罪？夫婦的關係，如果說這個犯淫戒，那就沒有人了，人種都斷了！能這樣說？不可能！不會的！他有種加持力，不是說你的犯，你從那個受戒的功德方面考慮，學佛法聽到這麼多地獄，我不學佛法該好，對不對呀？我連地獄也不知道，我也不相信，罪你也要受。我不相信，我就不受？沒那麼便宜，你不信也得受；不過佛說出來了，有一個好處，不要把這個意思體會錯了。我不是勸你們受五戒，你感覺到我受了不行，你還是不要受，不過，你要想到受五戒加持的功德。

我後來想到，自從出了家之後，受了比丘戒，我說這個簡直危險，動輒得咎，二百五十戒一條一條的，八萬四千威儀，清規戒律那麼多。那時眞想罷道還俗算了，受不了；這也不能做，那也不能做，四威儀，隨便你做哪一樣，你在廟裡最初出家時，舉止動作沒有一樣不是錯誤的。

我記得，在掛單的時候，那時還沒有燈，黑夜到廁所去太遠，廁所也沒有燈，不能去。夜間起解小手，怎麼辦呢？知客師他的窗戶底下擺幾個尿桶，就在那兒去解決。那個知客師他就說：「這個一定是新來掛單的。」我說：「這知客師有神通了，他怎麼知道是我？」因爲我尿尿，沒有尿對。大家是知道什麼意思嗎？尿尿不能有聲音，一有聲音就驚動別人了。吃飯、屙尿，乃至一切行動，沒有一處沒有清規戒律的，初出家人剛受戒當沙彌受得了？

「懺悔除滅一切諸惡業障，令無餘者，於我所說是法門」，你要好好兒修學，那麼「先世所造一切惡業，皆得銷滅無有遺餘」，他在佛前懺了，無餘了。

我們現在聽了《大集十輪經》，拜懺的時候，你就叩三個頭，默念：「我聽見《大集十輪經》，佛講〈懺悔品〉，我都具足，我也發如是願，希望佛加持我，希望地藏菩薩加持，你也具足跟那些人一樣。」這是我說的，你可以不信，沒有罪過。

懺悔品竟

善業道品第六

「爾時金剛藏菩薩摩訶薩復白佛言：大德世尊，菩薩摩訶薩云何於聲聞乘得無誤失？云何於聲聞乘補特伽羅得無誤失？云何於獨覺乘得無誤失？云何於獨覺乘補特伽羅得無誤失？云何於大乘得無誤失？云何於大乘補特伽羅得無誤失？云何常能熾然三寶種性？云何於諸如來出家弟子，若是法器若非法器，下至一切被片袈裟剃鬚髮者，得無誤失？云何於大乘法常得昇進無有退轉？云何利慧勝福常得增長？云何於一切定諸陀羅尼諸忍諸地速得自在無有退轉？云何常得值遇諸善知識，隨順而行？云何常得不離見一切佛及諸菩薩聲聞弟子，不離聞法，不離親近供養眾僧？云何於諸善根常精進求心無厭足？云何常於菩提種種行願心無厭足？」

這一品是講善業道的。懺悔完了就要修行，業障懺完了之後，修什麼呢？修善業。金剛藏菩薩摩訶薩是發起者，他向佛請求，大德世尊，我還有問題。菩薩摩訶薩就是菩薩之中的大菩薩，他要弘法利生的時候，如果是對著聲聞機，對著聲聞補特伽羅，他不會說獨覺乘法，也不會說大乘法。法的法義，是有界所的，不是籠統的。以下對補特伽羅有情的衆生，他是什麼樣的法器，是什麼的根器，就跟他說什麼法，不會有錯誤的。

現在我們說法，不問對機不對機，我們講這部經，不是機的，他也來聽，是機的也來聽，這都叫不對機了。不對機了，對於聲聞法得無誤失很難，或者獨覺乘法得無誤失，聲聞乘得無誤失。菩薩乘得無誤失，就是三乘法得無誤失。要是以機來說的，那是機不對了；補特伽羅不對了，你給他說聲聞法，卻說成獨覺法，或者說成大乘法，那就叫誤失，就有錯誤，說者會有因果的。

現在是末法的時候，缺乏善於觀察的能力，說法的時候自己要發願，要求懺悔發願。我是一個衆生，一般的衆生就是沒有入聖果的，說法一定會有誤失。無論約機約法，都有誤失。如果受了菩薩戒，發大心的，這是斷三寶種性，你就權衡這兩個，哪個重要，哪個不重要？雖然對他有誤失，他還是可以種善根。如果完全沒有人說了，這法沒有了，能否踫見無誤失的，他也不能知道了。

我個人每逢說法的時候，會求佛菩薩加持，或者誦經，或者懺悔，求佛菩薩加持我所說的都跟佛意無所違背。換句話說，加持我說法的時候，知見是正的。

怎麼樣知道是正的？不正的？依照佛所說的法去說，這知見就是正的。佛有三法印，也有一法印。說法的時候，不離開實相，對每個衆生說都不離開實相，要讓衆生知道萬法唯心的道理。說聲聞乘法的時候，一定要知道苦集滅道四諦法，這是四聖諦。七覺支、八正道、五根、五力、四念處、四正勤、四如意足，三十七道品的法，這是三乘共的。這個你怎麼說都可以，反正不超過三乘法之外。不能把正見說成邪見，那就顛倒了，就有錯誤的。聲聞乘、獨覺乘、大乘，這是三乘法，相對於三乘的根機，也就是三乘的補特伽羅，對法沒有誤失，也就是不錯誤，不混亂是非，對補特伽羅，對人也無錯誤。這是什麼樣的人呢？是菩薩摩訶薩，大菩薩絕能做得到。

還有，云何能夠使佛法僧三寶種性，興隆常盛，使佛法僧三寶的種性永遠不斷，永遠住世間？又怎麼樣於諸如來的出家弟子中，分辨他是法器不是法器？乃至於被一片袈裟的，那被一片袈裟的，對他們有無誤失。無戒者，比法器、非法器更次了，因爲那是冒充出家人，他本來是罪犯，他檢了一片袈裟披到身上，想消災免難，是這樣的，對他們都無有誤失。

對於大乘法，使這個法永遠興盛，不要從大乘退轉二乘。有些人給他說大乘法，他就勇往直前的，依著大乘法修了。有些他感覺得修大乘法度衆生太困難了，因爲衆生剛強難調伏。莫說凡夫度衆生，就是聲聞證阿羅漢果的，要度衆生也很困難。所以他畏懼，退墮到二乘地，入了偏空定。這種例子很多，就連舍利弗那樣的阿羅漢，智慧第一，照樣會退到二乘，他想發菩提心，剛一發心就退回去了。這個故事，大家是知道的。

舍利弗一發菩提心，帝釋天就化現來試驗他。示現一個小姑娘，童女，坐在路邊上哭。舍利弗就走到跟前問：「妳不要悲哀，有什麼困難，我可以幫妳解決，妳跟我說。」童女：「我求的，你解決不了，你沒有那麼大的菩提心。」他說：「我剛發過菩提心。」她說：「好吧！我跟你說，我媽媽現在生一個極特殊的病，找了一服藥，這個藥有了，藥引子沒有。」「那個藥引，不很困難，你去找去，或者去買。」她說：「買不到的，這藥引需要人的眼睛。」舍利弗說：「我剛發菩提心，就遇到了，該我發大心了，好，我布施妳個眼睛。」

他就挖了一個眼睛給她。童女：「這個眼睛不對！」「怎麼不對？」「我需要的是左眼，你挖的卻是右眼。」舍利弗就煩惱：「妳怎麼不早說，好！既然我已經發了心，就把這左眼也挖下，兩個都給妳。」那小姑娘拿來聞一聞：這眼睛這麼腥臭，怎麼能入藥？趴！就給摔到地去，拿腳給踩了，一踩還出個響。舍利弗就退心了，說菩薩道難行，碰到這樣的衆生，他沒有辦法，退失了菩提心。

其實阿羅漢都是有神通的，有位阿羅漢帶一個沙彌，在路上走路，那沙彌就想，看見田裡頭那麻雀吃地下的蟲子，耕地耕出來的蟲子，麻雀就會來吃。他就發心了，衆生太苦了，我要發菩提心，利益一切衆生。這個時候他背著他師父的衣鉢，在口袋裡頭裝著盛囊，那個阿羅漢就叫他：「你站一站。」那徒弟就站住！「小沙彌過來，背包讓我背。」他就背著了，徒弟也不知道是怎麼回事，就往前走。這沙彌就想：「怎麼度衆生？菩薩道很難行，長遠的。我還是能夠求得一個了生死，我先了生死再說！」他這麼心裡一作意，他師父又把背包拿下，「站著站著，包還是你背吧！」

第一次、第二次，他還沒有感覺到，又往前走。他又想：「這個不行，都要成佛，要發大心，要究竟才行的。」他不是發了二乘人退墮地，不行還得發大菩提心，不要畏縮。他師父又說：「站住！站住！」他又站住了，「包拿來，給我背。」

這個小沙彌才知道，這裡面有問題了，他問：「師父，你有精神病嗎？你瘋了！一會兒我背，一會兒你又背，究竟是什麼事？」他的師父就說：「你發了菩提心，是大菩薩，我只是阿羅漢。所以這個包包我不敢讓菩薩來幫我背，拿來給我就好了。你才剛一發心，又退心了，又退轉了；想了生死，我生死了了，你還未了，你只是發心而已，好了你還是背著吧！是這樣子來回的。因爲你一起心動念，我就知道了。」

像這樣的阿羅漢，還是不容易的。爲什麼呢？他有他心通，不需要入定。有些阿羅漢在日常生活中，他心通、六通照樣都具足了。有的阿羅漢需要修定，他那六通才顯現，有的不需要，就能顯現。像這些也是大阿羅漢，都是像常隨衆的千二百五十人俱，前面那十大弟子都是隨時在定中。

所以使大乘的昇進無有退轉，很不容易。大家天天發菩提心，天天不做菩提事，那個心發的是假的，是跟著人家發的。拜懺的時候也發，發個大願度盡一切衆生，也代衆生受苦，你不侵佔衆生的利益就好了，還代衆生受苦，怎麼能做得到呢？我們是隨時的，包括我們大家都沒有例外，都是侵佔衆生的利益。我們會代衆生受苦？沒有！你搞政治也好，搞經濟也好，隨便你搞什麼，你想想你所有的利，哪兒得來的？衆生的！都是衆生的，很難。

出家的比丘、比丘尼該好了吧！四衆弟子，沙彌，沙彌尼，如果了道是好的；如果未了道，你所享受的都是人家的血汗，乃至於這裡頭也有詐騙的，也有非法的。你怎麼來消這個災？你怎麼來消？爲什麼出家人規定早晚二堂功課？就是消災的。你別的沒有修行，到了大殿早晚功課，你要還債，可以免去災難。爲什麼四衆弟子都得有日課，管你誦一卷〈普門品〉，誦〈普門品〉是給人家迴向，那麼你的衣食住行，你住的是人家的房子，你吃的是人家的供養，你並沒有掙到一文錢，這個道理都得懂，須常時發菩提心。

要是能常時發菩提心，你的智慧就能增長。那麼殊勝的福德，常時能增長。這個殊勝的福德利慧，從那兒產生呢？要靠三寶，三寶是一切的種子。

怎麼樣才能使得自己的利慧勝福，常時增長不退，這都是問號。

金剛藏菩薩問佛，怎麼能保持住這些？「云何於一切定諸陀羅尼諸忍諸地？」這是指《華嚴經》上說的，十忍十地，我們不詳細講，略舉一下。速得自在無有退轉，在一切定都能自在，要入定就入定，要出定就出定，從這個定位進到忍位，忍位到初地，初地二地到十地。「云何常得值遇諸善知識，隨順而行？」怎麼樣才能夠永遠不離開善知識，隨著善知識的教導去做。

「云何常得不離見一切佛及諸菩薩聲聞弟子？」這個聲聞弟子是成道的，乃至於「不離聞法，不離親近供養眾僧」，這個僧是凡夫僧。這個凡夫僧也包括前面，佛不是教導了，那被片袈裟的，冒充的僧，我們也當他是聖僧。

「云何於諸善根常精進？」求善根常精進，精進就是不懈怠，培植我們那個善根，怎麼樣才能做到培植善根？善根愈增長愈好，愈多愈好，心裡頭沒有厭足的，沒有厭煩的，沒有滿足的。我們的缺陷就是不能精進，不論拜懺，不論聽經，不論你自己念經，這都是勝業。但總找個藉口，我今天有事，我告個假，明天再補。哪會補？一斷了就斷了。一天斷了，兩天斷了，斷久了，他就不想再提起來了。

人家說，學如逆水行舟，不進則退。那個乘船，乘上水船的時候，不往上直走，就會往後退回來了，隨著那浪就把你打下來。在家修行都得這樣，「蜀山無盡勤為路」，苦海無涯，這個大苦海就是在人生當中，苦海無涯，你要勤苦。就像比喻讀書似的，讀書就像上山似的，沒有路，你只要想求知識求豐富的道理，就要精勤。何況修出世法呢？心裡永遠沒有滿足的時候。到了無求，到了八地菩薩，任運了，也沒有精進，也沒有懈怠。

「云何常於菩提種種行願心無厭足？」發菩提的願行多，如果是像普賢菩薩十大願王就包括了，就是十，就是重重無盡。每位菩薩發的願都重重無盡的，這是指大菩薩，他的願永遠在發，永遠無盡的，心無厭足，永遠也沒有厭煩滿足的時候。就是金剛藏菩薩這麼樣問佛，怎麼才能達到我以上所請問的？菩薩摩訶薩利益眾生的時候，怎麼才能免除這些過患？佛就答覆他。

「爾時世尊告金剛藏菩薩摩訶薩言：善男子，有菩薩摩訶薩十輪。若菩薩摩訶薩成此十輪，於聲聞乘得無誤失，於聲聞乘補特伽羅得無誤失，於獨覺乘得無誤失，於獨覺乘補特伽羅得無誤失，於其大乘得無誤失，於其大乘補特伽羅得無誤失，常能熾然三寶種性。於諸如來出家弟子，若是法器若非法器，下至一切被片袈裟剃鬚髮者，得無誤失。於大乘法常得昇進無有退轉，利慧勝福常得增長。於一切定諸陀羅尼諸忍諸地速得自在無有退轉，常得值遇諸善知識隨順而行，常得不離見一切佛及諸菩薩聲聞弟子，不離聞法，不離親近供養眾僧。於諸善根常精進求心無厭足，常於菩提種種行願心無厭足，常於一切先所造作惡不善業，以聖金剛堅利法智，摧壞散滅，令無遺餘，不受果報，更不造新惡不善業，心無厭倦，速能證得無上法輪，常勤修習七覺分寶心無厭倦，常能除滅一切眾生諸煩惱病心無厭倦，一切眾生依止存活。」

你所問的這個問題，要想無誤失，就依著這十輪去學，三乘的有情都能無有誤失，三寶種性永遠的熾盛，同時「於諸如來出家弟子，若是法器若非法器，下至一片披袈裟剃鬚髮者，得無誤失。教導他們都不要有錯謬，要依照這個十輪。前面經文一直都沒有講十輪，等把這個十輪的功德講完了，才說十輪。「於一切定諸陀羅尼諸忍諸地速得自在無有退轉」，他不是這樣請問嗎？佛就把他的原話說一遍，就是以這十輪解決了你所問的問題，就是這個涵義。

也能「常得值遇諸善知識隨順而行，常得不離見一切佛及諸菩薩聲聞弟子，不離聞法，不離親近供養眾僧。於諸善根常精進求心無厭足，常於菩提種種行願心無厭足。」行與願沒有厭足，行願兩個本來是合在一起的，行即是願，願即是行，但是在我們來說是分開的。我們有時候發空願，發願都是空的，沒有行來配合這個願。有的時候，我們有行又沒有願，不知道發願，有行而無願，他的願非常的小，與法不相合。

每到初一、十五，燒香的人很多，或者拜懺的人也很多，他就做了。做了，他不知道發願，不會用觀想，他燒的一支香就是一支香，拿的一盤花就是一盤花。他不知道用願力，把他加大，也不知道這個花是因。我供花的時候，願我得果，花是菩提因，我願得菩提果。他沒有這個想，沒有這樣的心量，他根本不知道。

大家學佛法很久了，知道了，回憶一下，當你供佛的時候，你是不是念念都用菩提心，用普賢供？儘管有些道友，我們也是共同的上過供，那就是薈供。供養十方一切諸佛，供養十方一切尊法，供養一切聖賢僧。不論中外的，西藏、印度的，都算在內。乃至西方世界極樂世界蓮池海會那些賢聖大眾都在內，有沒有想過你的心量有好大？你想好大，功德就有好大。願行就像人的兩條腿，短一缺一也不行。所以得會發願，要是不會發願，所得的效果不大，這個都是重複金剛藏菩薩所問的話。

佛說的，要依著這個菩薩摩訶薩的十輪，你所問的都得了。以下的就不是他問的話。於這個求種種的行願，心無厭足，還是金剛藏菩薩所說的話。佛又重複說，能滿足的。下面就不是了，「常於一切先所造作惡不善業」，惡不善業，過去所造的不善業，所造的惡，就是這樣。

對於這惡，怎麼樣懺悔？怎麼樣除掉呢？「以聖金剛堅利法智」，金剛法智，就是金剛般若波羅蜜，我們這就叫《金剛經》。金剛般若波蜜的智慧，就是般若智。般若的智慧像金剛那樣堅固，不被一切所壞；像金剛那樣鋒利，不被一切所折。般若法的智慧能把這些造作的惡不善業，全部摧毀掉，「令無遺餘」。不但摧毀掉，而且沒有一點餘剩。摧毀清淨了，乾淨無有餘，一點兒也沒有餘剩，不受果報了。

你過去無量劫所作的業，你就依著這十輪，一下就把那些堅固的業都摧毀掉了。用什麼呢？用般若智，堅固的般若智慧，更「不受果報」，「更不造新惡不善業」，舊的懺完了，新的不會再做了。為什麼呢？菩薩摩訶薩十輪，依著這十輪，不造了，能速「證得無上法輪」。依著這十輪，很快就證得成佛果，能轉大法輪，常勤修習七覺支法，七覺支分寶，「心無厭倦」。

「常能除滅一切衆生諸煩惱病心無厭倦」，我們的煩惱病太多了，八萬四千煩惱，佛就說八萬四千法門對治他，有總煩惱，有根本煩惱，總煩惱就是無明。「一切衆生依止存活」，說這個菩薩摩訶薩的十輪，如果一切衆生要想成就他的法身慧命，依著這個法身慧命，法身永遠常在的，就是這個涵義。這段話就是說菩薩摩訶薩具足十輪，依著這個十輪，而存他的法身慧命，但是還沒有講到十輪，其實說出來，十輪大家都懂，也就是十善業。

「善男子，如轉輪王具足七寶，凡所行動，輪寶導前，餘寶隨後，巡四大洲，普能除滅一切衆生身心濁穢，普能生長一切衆生身心安樂。菩薩摩訶薩亦復如是，成就十輪，於聲聞乘得無誤失，廣說乃至一切衆生依止存活。善男子，如大車輅具足四輪，多人乘之遊行大路，於其路上土塊瓦礫，草木根莖，枝葉華果為輪所輾，皆悉摧壞，不任受用。菩薩摩訶薩亦復如是，成就十輪，悉能摧壞諸煩惱障，諸有情障，一切法障，令不受報。」

象寶，馬寶，美女寶，珠寶，珍珠寶，這是以輪寶為前導。轉輪聖王鐵輪王他一出行鐵輪現前，是自然的，是福報所感的。有銀輪王，那是管二洲的；有銅輪現前，管三洲的銀輪現前；管四大部洲的金輪現前，他要走金輪就現前了，這是講金輪寶。為什麼呢？「巡四大洲」，南贍部洲，北拘盧洲，西牛賀洲，東勝神洲，四大洲都能巡視到，都能除掉四大洲眾生一切身心的濁穢。普能生長一切眾生的身心安樂，轉輪聖王就有這個功德，他到四大洲，給四大部洲說法，他是以國王的命令，制定對四洲部的政策，使這些眾生都得安樂。

「菩薩摩訶薩亦復如是」，這是舉比喻，先舉喻後說法，也就是法喻和合。我說的菩薩摩訶薩，「成就十輪」，就像轉輪聖王一樣的，菩薩要行菩薩道的時候，十輪現前，以這個十輪對「於聲聞乘得無誤失」，廣說，就是金剛藏菩薩所說的那些。「廣說乃至一切衆生依止存活」，廣說一切衆生，把前面那個經文又重複說一遍，就不再說了。

「善男子，如大車輅」，大車輅就是大車子，「具足四輪」，我們現在的車子都是四個輪，「多人乘之遊行大路」，在路走，在路上開，那路上的土塊，瓦礫，草木，根莖，枝葉，華果，「爲輪所輾」，就把他輾碎了。「皆悉摧壞」，這是說菩薩成就這個十輪，不論哪一輪，都能有這個功能，摧壞路上的所有障礙。把這個煩惱阻擋住，那就不被煩惱所轉了，煩惱的受用、作用就沒有了，就消失了。

菩薩摩訶薩就是這樣的，能夠「成就十輪，悉能摧壞諸煩惱障，諸有情障，一切法障，令不受報」，就把因果推翻了，一切法障的諸障礙，他不執著，沒有空義，令不受報，就是他已經證得空性了，不受報了。但是這十輪，大家應當常時觀想，說定業不可轉，這是因果律，你作什麼因，一定要受什麼報。

如果轉了，就沒有因果，因果律就不存在。所以定業不可轉，三昧加持力，就是定力加持。定力加持什麼定呢？這個定就是一切諸法皆空。定業沒有，因果本來也沒有，這樣講，就容易落斷滅，好多人就會造業，這叫有誤失。你對大乘菩薩可以這樣講，對聲聞、對被片袈裟的，對那個法器不是這種大乘的法器，非法器更不用說。要是對他們這樣說，那就是誤失。要想不誤失，就講因緣所生法，我說即是空，亦爲是假名，亦是中道義。」這是另一種境界，這是另一種經典所說的。這是混含著三乘法，是總說三乘法的。

所以說一切的煩惱障沒有了，法障沒有了，煩惱障沒有了，見思煩惱障沒有了。法障沒有了，法我執沒有了，法執說二乘人有法執，阿羅漢都有法執，他說我沒有，我空了，煩惱空了，但是法不空。他認爲佛所說的法，法不空，這叫法障，就受到法的侷限，而這一切障礙全消失了，爲什麼不受報呢？就是緣起諸法性空的，悟得性空，所以就不受障，也不受報。

「善男子，如利劍輪，纔一投掣，能斬怨敵首及肢節令無勢用。菩薩摩訶薩亦復如是，成就十輪能破一切五趣牢獄生死大苦，永斷一切煩惱惡業，令不受報。善男子，如火災起五日出時，徧四大洲一切河海水界津潤無不枯竭。菩薩摩訶薩亦復如是，成就十輪，一切四因諸煩惱障，諸有情障，一切法障，苦報根本，悉皆枯竭。善男子，如風災起，四方猛風俱時頓發，一切世界大小諸山，及諸大地，悉皆散滅。菩薩摩訶薩亦復如是，成就十輪，世間四倒憍慢諸山無不崩壞，一切眾生諸煩惱障，諸有情障，一切法障，苦報根本，悉皆散滅。」

佛又舉個例子。「如利劍輪」，這個輪子就像最鋒利的寶劍。寶劍，「纔一投掣」，非常的快，剛剛一舉，就把怨敵的首及肢節斷了，沒有用處了，「令無勢用」。有些小說的題材是根據佛經上作的。

我看見一本小說，他找到一位常敗的師父，因爲永遠失敗，所以叫千敗。他就認他當師父，他跟他師父學什麼呢？沒有什麼奇特，就是這一把寶劍，一抽寶劍，快，掣，就這一拔劍。我想他的這個功夫，就是我們和尚所謂的作意，心到法到，心到哪，他的劍就到哪，飛劍取人首，就是這樣的意思。他那劍拔的快到敵人沒有辦法看見他出手，也看不見他拔劍。講招式，他沒有招式，就是這麼一招。什麼招？就是一拔，你的腦殼就落下來，你還等著我看你怎麼來出招？我好接一招，沒有這個，只這一拔劍，你接不住的。懂得這個道理，就知道了。

這裡所用的是慧劍，你的智慧心，到那兒，那黑暗就衝破了。沒有智慧的，要想做方便的事情，就愈纏愈緊。有智慧的人愈方便愈解脫。所以，有慧方便解，無慧方便縛。沒有智慧的人，你不要亂作方便，你亂動腦筋會出問題；有智慧的人，他隨便怎樣運用都可以。你練什麼八卦劍、太極劍，隨便你練什麼劍，人家一拔劍，就把你的腦殼斬了，還不等你施展。你怎麼施展？根本沒有施展的餘地。是這個涵義。

菩薩摩訶薩「成就十輪」，那個力量大到能破五趣的牢獄生死大苦，生死就斷了。「永斷一切煩惱惡業」，這個煩惱業，都是菩薩摩訶薩斷的，令不受報。業就是報，業報業報，把他斷了業都沒有了，報也就沒有了。

我們這個世界到了火災發生的時候，感到業報的時候，一個太陽出來，兩個太陽出來，三個太陽出來，四個太陽出來，五個太陽出來。一個太陽出來，我們感到夏天，當午正照，你都受不了。要是五個太陽，加了五倍，溫度是三十九度，三五就百五，三九二十七，一百七十七度。一百七十七度照著你就化了，什麼東西還能存在呢？所以河海水界津潤都枯乾了。

「菩薩摩訶薩亦復如是成就十輪」，銷除一切眾生的四因諸煩惱障。四根本煩惱也是四因，四根本煩惱就是我癡，我見，我慢，我愛，這是基本的。

但是，說的更深一點，就是見煩惱，思煩惱，塵沙煩惱，無明煩惱。這種煩惱是因，召感的報果，就很多了。一切煩惱惡業都消失了，深的淺的，乃至微細的，乃至種子，煩惱種子是以無明爲根本。因爲證得空性，理解了，說一切有情的法障，業障，苦障，受苦就是報，果報，因也消了，這是果。

「悉皆枯竭」，就像出了五個太陽似的，這五個太陽是形容你的智慧把煩惱障都摧枯竭了，等到菩薩摩訶薩成就十輪了，把煩惱的大海，生死的苦海，全部乾燥了。世間的四倒，憍慢，諸山無不崩壞。這個倒見，可以說我癡、我慢、我愛、我見，顚倒，非我執我，這就是顚倒見。癡就是無明，無明就變轉成智慧，把邪知邪見轉成正見，轉成智慧，我慢轉成忍辱，我愛轉成慈悲，大慈大悲轉成智慧的愛。「一切衆生諸煩惱障，諸有情障，一切法障，苦報根本，悉皆散滅」，都滅除了。

「善男子，如師子王吼聲一發，一切禽獸悉皆驚怖，飛落走伏，無敢輒動。菩薩摩訶薩亦復如是，成就十輪，法音一震，乃至一切外道異學惡知識等悉皆驚怖，忘失言辯，無敢酬抗。」

「如師子王吼聲」一發，「一切禽獸悉皆驚怖，飛落走伏，無敢輒動」，飛落是指飛禽。師子吼把牠們震動的，都藏伏起來了。「菩薩摩訶薩亦復如是，成就十輪，法音一震，乃至一切外道異學惡知識等悉皆驚怖，忘失言辯。」他想跟你作辯論的時候，用正法的音一說，他要想開口都開不得了，邪知邪見都被摧毀了，是這個涵義。「無敢酬抗」，酬是酬擋，抗是抗辯，違抗的意思，就是跟你爭論的抗辯。

「善男子，如天帝釋與阿素洛將欲戰時，天軍圍繞，手執金剛，奔趣陣敵，諸阿素洛，驚怖退散。菩薩摩訶薩亦復如是，成就十輪，一切倒見外道異學惡知識等，驚怖退散。善男子，如如意珠置高幢上，能雨種種上妙珍寶，給施一切貧乏眾生。菩薩摩訶薩亦復如是，成就十輪，處淨戒幢，雨大法雨，給施一切無量眾生。善男子，如闇夜分，世間幽冥，都無所見，迷失正道，滿月出已諸闇皆除，諸失道者皆見正路。菩薩摩訶薩亦復如是，成就十輪，若諸眾生無明昏闇，由此迷失八支聖道，菩薩爲其宣說正法，除無明闇，生法光明，開示顯現八支聖道，令斷諸漏，盡諸苦際。」

「善男子，如天帝釋與阿素洛將欲戰時，天軍圍繞，手執金剛，奔趣陣敵」，就是入阿素洛的陣裡。「諸阿素洛，驚怖退散」，菩薩摩訶薩也是這樣。如果「成就十輪，一切倒見外道異學惡知識等，驚怖退散。善男子，如如意珠置高幢上」，那又比喻了，如意寶珠擱到很高處，如果乾旱了，把寶珠置到高處，那寶珠就可以下種種的雨。這種雨是雨上妙的珍寶，布施給一切貧乏的眾生，他們就得救了。

「菩薩摩訶薩亦復如是成就十輪，處淨戒幢」，持清淨戒，清淨戒，像高幢一樣的。雨大法雨，這是說的法，不是珍寶了。比珍寶還好，說法，就是雨法雨，說衆生喜愛的雨，可以除災難的雨，轉大法輪的意思。法雨是形容詞，給他們說法，向一切衆生說，應以何根得度者，就給他說什麼法。

「善男子，如闇夜分」，天黑了，像這個時候，世間都是黑暗的，幽冥就是黑暗的意思，「都無所見」，在黑暗中，我們的眼睛起不了作用。我們的眼睛是見明不見暗，這個根跟那個識，是照明不照暗。那個時候你看不見東西，看不見又怎麼走路，正道就迷失了。等到十五的月亮，滿月就是指著圓十五的月亮，月圓的時候，他除闇了，諸闇消失了。這條道路，你就清楚看見了。那麼失了見的，就是失道的人，找不到正路的，當一看見了，這個光明一照了，他就找到正路了。

菩薩摩訶薩也是這樣，成就十輪了，若諸衆生無明的昏闇，迷失了八支聖道，走的不是正路。那麼，菩薩給他宣說正法，除去他的無明闇，生起法的光明，開示顯現八支聖道。「令斷諸漏」，就是包括漏三界，乃至漏二死，漏那個變易生死，這都是苦際，也就是諸漏盡諸苦際，這包括了一切菩薩；

菩薩還在變易生死苦當中，還有塵沙的無明惑，都使他斷除。

「善男子，如大日殿出現世間，一切苗稼悉皆增長，一切花葉悉皆敷榮，一切臭穢悉皆除歇，諸穀果藥悉皆成熟，雪山銷流，諸河充溢漸次轉注，滿於大海。菩薩摩訶薩亦復如是，成就十輪，依止增上布施、調伏、寂靜、尸羅、安忍、正勤、靜慮、般若、方便、慈悲、辯才功德，皆悉熾盛，爲諸眾生宣說正法，由法威光，令諸眾生種種增上善根苗稼悉皆增長，種種增上妙行華葉悉皆敷榮，種種煩惱，惡業惡行，悉皆除歇，善趣涅槃諸穀果藥悉皆成熟，邪見慢山悉皆銷流，種種正信，戒聞捨慧，及諸定河，無不充溢，漸次盈滿大涅槃海，令諸有情隨意所樂，趣入無畏涅槃之城。」

「日殿」就是太陽的宮殿，殿是宮殿的意思。「大日殿」，太陽在宮殿裡頭出現。一切萬物，沒有太陽的陽光哺育，苗稼就不能成長。這個陽光的哺育，不說大日，而是說大日殿，他不說月出，而是說滿月。就像溫室一樣的，使一切種子都能增長的。「一切花葉悉皆敷榮」，開敷了，榮華開盛了，一切的臭穢悉皆除歇，就是香氣。「諸穀果藥悉皆成熟」，五穀雜糧就是成了果實，藥是藥物。

「雪山銷流」，那時候有五個太陽，萬年雪山也化了；南冰洋，北冰洋都沒有了。這座雪山一銷溶了，使河流都充滿了，都可以滋潤一切的生長物質。完了，流入大海。所以生物之間的配合，恰到好處。菩薩摩訶薩亦如是。

「成就十輪，依止增上布施、調伏、寂靜、尸羅、安忍、正勤、靜慮、般若、方便、慈悲、辯才功德，皆悉熾盛」，布施，就是般若的布施。調伏，就是調伏我們的心，調伏也是觀照。

像四念處，我們最初修定的時候，就是用數息觀。數息觀可以調伏你的散亂心，把散亂心調伏下來，不昏沈了。完了，得到寂靜，要入定了，寂靜就是止。尸羅有防守、清淨的意思，尸羅就是戒。安忍，你要想平安，想愉快，要先忍辱，一忍，百事都消失了。要求忍，忍是不容易的，特別是有權有勢的人，忍，眞不容易。

以前有一位宰相，他做宰相的時候，他的兒子還居住在老家。這位宰相是一個很好的宰相，如果是不好的，他的兒子早橫行霸道了。因爲他家的地，被鄰居佔了一部份；那鄰居打造牆，就把他那個土地佔了很多。於是兒子就給他父親寫封信，叫他父親給家鄉的縣官來封信，要求縣官公斷歸還給他。這位宰相怎麼答覆他的兒子呢？「千里修書只爲牆」，這麼遠你寫封信，只不過是因爲人家修了一面牆佔了幾尺地，「讓他幾尺又何妨」，你讓他幾尺，何必爭嗎？「萬里長城今猶在」，看見沒有，萬里長城還在著，「不見當年秦始皇」，誰是誰的？三十年河東，四十年河西，什麼是你的我的，水一淹，火一燒，誰都不存在了。

世間的財產是五家共的，掉了你也別懊惱；或者騙了你，你應生歡喜心，那是我還了債了。不該他的，那是他欠我的，我也別生討債想。要討債，你還得來這個世界，你到那兒去討？他就是地獄種子，他在騙人家，詐人家，他就是來這個世界受苦的。你還來這個世界跟他受罪？算了，布施給他，這就是布施，這叫忍。忍一時之憤，能免百日之災。

這個必須平日有觀想，要不然臨時遇到了，怎麼忍受得了嗎？對嗎？連一句話都受不了，他侮辱我，或者說你家族的人員，或者說到你的本身，說你很多壞事，不管你有沒有；有，你聽見高高興興，他是善知識，給他叩三個頭。哎呀！這個錯誤，你給我指出了，我謝謝你，我消業了，我一定要懺悔，他不會再說了。

要是他說的不是事實，《金剛經》說，人家謗毀你，侮辱你，忍受之後，本來你應該下地獄的，這業障業報就消失了；也就是重難輕受，這也應當忍。安忍，正勤，要學勤快精進，要學那有益的事情，無益的事情不要太勤快。

我們爲求利，晝夜睡不著覺，腦筋琢磨，我怎麼樣才能得到，這選票我怎麼樣戰勝；我去拉誰，我們出幾個錢，誰都不知道，這不是賄選，可以避免賄選又出錢可以把票買到，哪有那麼便宜的事？沒有。

勤快，得要靜，靜慮思惟觀察，看什麼事，觀察要正確。般若就是根本智，方便就是善巧，慈悲是大慈大悲，這就是大菩薩心利益衆生，辯才無礙。辯才，你得會學，你不學怎麼產生辯才？有智慧才有辯，沒有智慧你辯什麼？

功德，功就是行，德就是你所做的事情，要得於心，你要從心裡發生，這就是不可思議的功德，就皆悉熾盛。熾盛就是盛大的貌，盛大的形狀，「爲諸衆生宣說正法，由法威光，令諸衆生種種增上善根苗稼悉皆增長」。前面所舉的譬喻，這都是用法來合成的。

「種種增上妙行華葉，悉皆敷榮」，開敷得非常的茂盛。「種種煩惱，惡業惡行，悉皆除歇」，都停息了。「善趣涅槃」，這就是很好的趣向。那個不生不滅的果實，「諸穀果藥悉皆成熟」。這個成就了，善業就是諸穀果藥，成就了善趣涅槃，邪見我慢，像山那麼高，「悉皆銷流」，像冰山這樣化了。我們的煩惱就是業障，就像冰山那樣銷化了。「令諸有情隨意所樂，趣入無畏涅槃之城」，令一切有情都可以證到不生不滅，不生不死，究竟涅槃。

「善男子，云何名菩薩摩訶薩十輪？善男子，此十輪者非餘法也，當知即是十善業道。成就如是十種輪故，得名菩薩摩訶薩也，於一切惡皆能解脫，一切善法隨意成就，速能盈滿大涅槃海，以大善巧方便智光，成熟一切眾生之類，皆令獲得利益安樂。所以者何？善男子，過去一切諸佛世尊，皆悉遠離十惡業道，皆悉稱揚讚歎如是十善業道所得果報，是故若能於此所說十善業道，隨守護一，乃至命終，究竟無犯，必獲一切殊勝果報，如前後說。」

「善男子，云何菩薩摩訶薩十輪？」說了半天，現在才說到十輪。什麼叫十輪？「非餘法也」，不是其他的方法，「當知即是十善業道」，我們有時候不善護你的身口意，認爲這是小事；這不是小事，這是成佛的根本，一切善業的根本。佛說了這麼半天，前面舉了那麼多的譬喻也好，說法也好，現在才舉出來，什麼是十輪？十善業道，就是十種輪。這個十輪就得名爲菩薩摩訶薩。十輪具足了，你就是菩薩之中的大菩薩，於一切惡悉得解脫。

「一切善法隨意成就」，十輪成就了，當然都成就了。口業，好比說我們不打妄語，不惡口，不罵人家，不綺語，不挖苦人家，不說沒因由的話，不兩舌，也不撥弄是非。我們普通這樣講十業，但是你勸每一個衆生都這樣做，這就是大菩薩。我們連自己都守不好，又怎麼能勸人家呢？要以身作則。

舉個例子，我們自己的能力不夠，那又怎麼樣呢？眼睛少看，耳朵少聽，嘴巴少說，就是少說離開三寶的話；跟我們弟子互相談論的時候，就多說佛法的事。怎麼斷惑？怎麼證眞？我是這樣想的。醫生讓我多運動，多走，走的時候那個定力未成的時候，走的時候容易散亂。你們想想，你是靜的時候不散亂呢？還是走的時候不散亂？我也知道，我們的道友勸我是好意，「師父，我領你到外頭走走，活動一下子，你待在屋子裡總是這樣，這樣很快會生病的。」不會的，生病是屬於業，有業才病，沒有業不會的。人家都勸你，道友互相勸，你靜下來，多用靜慮的功夫。你們是不知道，哪個是好，哪個是壞。你們說我，說好、好、好，我聽聽，我還是不隨你走。

怎麼能隨你的？我的耳根就隨你的語言轉！走吧！愈走愈放逸，走吧，不是超級市場，就是公園裡逛，看著。那是什麼人去的地方嗎？人家有閒的有錢的，放縱五欲的。我們是收攝身心的，我們的身，我們的心，我們的口，隨時要收攝；隨時就見境，沒有那麼大的定力，心隨境轉。我們還沒有達到心能轉境，心能轉境即同如來，心被境轉就是衆生。道友之間，多維護身口意，少放逸，躲還躲不及，還要往那裡頭去？那裡頭是熱鬧地方。

講到這裡，我跟大家提醒一下，你們的好意我只能心領了。你們不知道，你們的師父沒有那麼大的道力，不會上那地方去，哪兒空氣好？你心裡的空氣最好。你靜下來，空氣最好。我們對於自己的身口意要絕對的隨守護一。

十業之中，你能守到一個，一點都不犯，乃至命終捨命了，我都沒有犯過這個戒。若不殺生，從來不殺生，不佔衆生的便宜，你一定獲得殊勝果報。什麼果報呢？你也不會害病，也不會短命，你沒這個業。如果你不偷盜，多生沒有偷盜過人家，你不會丟東西。

這是我親身試驗過的。我從小出家到現在，沒人偷過我的東西。我的房門從來不關的，不論到哪裡，我自己的房間，從來不關的，我以前就發願了，誰要是拿了，就是我布施供養了。我自己可以，但是或者兩人共住，三人共住，這就不行了。

大家要知道，謾藏誨盜，治容誨淫，你也會召感來。你化粧，美麗，別人就貪愛。你藏的愈嚴深，丟的愈兇，保險櫃照樣給你割開。在郵政局或者在銀行租一個保險櫃，紐約地區就丟了好多保險櫃，並不是用鑰匙開，他有一種電動器具，自然就給你割開了，你所有的東西不是擱在保險櫃嗎？好，都丟了。我看見報上登著有好多次，怎麼樣保護好？不偷人家東西，這就保護好了；不只一生不丟，而是生生都不丟。賊偷，火燒，國王沒收，土匪搶，你能保護得住？你的腦殼都保護不住，身外物能保護得住？你行十善業就保護得住了，我沒有偷過人家東西，別人也不會偷我的，相信絕對是這樣子的。

我沒有殺過別人，別人也不會傷害我，也不會殺我，這叫業報，這個可不容易。要能信得懇切，大家都努力，這才是眞正值得我們努力的地方，要是成就了十善業道，「得名菩薩摩訶薩也，於一切惡皆能解脫」，所有惡業全解脫了。這個惡是指果，我們可以不受他的束縛。怎麼樣不受束縛？成就十善業了，十善業得究竟了，殺盜淫，貪瞋癡，妄語，綺語，兩舌，惡口十惡業全清淨了，那就成就了，成就菩薩摩訶薩了。

乃至於勸一切衆生都如是做，以你盈滿的大智慧，一切惡解脫了，一切善法都隨意成就，速能盈滿大涅槃海，證得眞正的不生不滅。以大的善巧方便智慧光明，成熟一切衆生，皆令他獲得利益安樂。

爲什麼我這樣說呢？所以者何？有徵啓的意思，這個道理在哪裡？一切諸佛怎麼成佛的？他遠離十惡業道，不敢接近。皆悉稱揚讚歎，如是十善業道，所得的果報；小者，得到人天的果報。十善業，口裡說的菩提道，心裡想的菩提道，身體所做的菩提道，貪瞋癡沒有了，就是戒定慧，就沒有這些報了。能夠常時如是講，要讚歎十善業道，要遠離十惡業道，那麼你就能得到十善業道。

「所得果報，是故能於此所說十善業道，隨守護一」，雖然不能十個都守護，只要守護一個，「乃至命終，究竟無犯」，就可以守護得絕對的清淨。我一生沒有偷盜人，或者一生我沒有詐騙過人，一生我沒有說過瞎話，這瞎話裡包著欺詐。如果我無意當中或者說錯了，我做夢，或者我自己感召著錯誤說了，我證了果，這不犯戒的。

一切的戒律，你若不爲名利，自己爲的是菩提道，你所做的，轉成菩提道上的事情，不是三業道的事情，那是守護一個善業道，一直到命終都沒有犯，你一定獲得殊勝果報。這個你要懂得，一即一切，一門深入，十惡業都消失了，以你這個殊勝的猛利心，把那個都消失了。「如前後說」，前面也說過，後面還要說，下面就解釋了。

「善男子，若菩薩摩訶薩能盡形壽遠離殺生，即是施與一切眾生無驚無怖，令諸眾生不生憂苦，離毛豎畏。由此善根速得成熟，所有前際輪轉五趣沒生死河，因殺生故，造身語意諸惡業障，諸煩惱障，諸有情障，一切法障，諸壽命障，自作教他，見聞隨喜，由此遠離殺生輪故，皆悉輾壞，摧滅無餘，不受果報。於現身中諸人天等皆共親愛，無所猜慮，身心安樂，壽命長遠。將命終時，身心不爲憂苦逼切，所愛妻子眷屬圍繞，臨命終時，不見可怖刻魔王使，唯見可意成調善法具戒富德眞實福田爲善知識，身心歡悅，深生敬信。」

你沒有殺生，盡形壽就是從生到死，沒有殺過生，聞了法之後，我沒有殺過生，遠離殺生。「即是施與一切衆生，無驚無怖」，這個十善業不同，不殺生，還得會觀想，不但不殺生，我就把這個不殺生布施給衆生。衆生爲什麼會害怕呢？誰不怕死？衆生也怕死，你要是逮著一隻麻雀，牠都要飛著跑；豬知道要宰牠，牠就叫喚到不得了，你盡力往牠拉，牠不走，因爲牠知道要死了，都會驚恐。

「令諸衆生不生憂苦，離毛豎畏。」我們一到恐懼的時候，汗毛就立起來了，汗毛立起來冒冷汗，這個經驗也許有，也許沒有。有的人一生沒有驚恐，汗毛不立起來；但是他認識到了，他不會害怕。要逮捕你了，有些人很剛強，逮捕了沒有關係；要是槍斃了，這是小事一件，二十年我又來了，這叫娑婆世界。衆生剛強難調難伏，他沒有恐怖，他很兇狠的，才無有恐怖。有些則是善業成就了，因爲善業，才無有恐怖，兩個極端，這是講善業的。

「由此善根速能成熟」，所有的「前際輪轉五趣沒生死河」，前際是指過去，在過去的生死河中流轉。「因殺生故」，因爲殺生而「造身語意諸惡業障，諸煩惱障，諸有情障，一切法障，諸壽命障，自作教他，見聞隨喜。」為什麼壽命有長短？這是殺生的業，這個殺業裡頭包含著身，有時動手殺，或者用腳踢死人都算。用口咬死人，拿腦殼撞死人，有學過搖錘灌頂的功夫，一頭把人撞死了，你身體哪個部位都能殺死人，身語意都會造諸惡業。被殺的時候還在罵你，臨死還喊口號，信那個就擁護那個，這就是口業。臨死，還在造業。

一切障礙悉皆銷除了，身語意所做的諸惡業，所有諸煩惱，一切有情，互相牽扯不清的；父母子女，夫妻、情愛的關係，這都是有情，有情的障礙可多了。一切的法障，法障是對一切法說的，你謗毀過一切法，口業謗毀，對三乘法都謗毀過，你的業就更大。壽命障，你若想修道，壽命盡了，修不成了。

我們講經也得發願，未講之前就發願。這部經別中斷，別害病，別斷幾天；也別講一半就死了，那就完了，講不成了，這就叫中斷，這就是業障。

你想做好事的時候，想贖過，未等你贖，命完了，來不及了，這就是障礙。

你自己如是殺，教人家殺，自作教他，自己不殺教人殺，就叫嫁禍於人。我跟那個人有仇，我想殺他，又怕犯法，或者用錢，或者挑撥離間。挑撥這個人火大了，再加上有點事實，他倆又有點嫌怨，就殺他去。你在一邊看效果，就把你的仇報了，但是你並沒有出手，這個罪也很大的。這個教他殺的罪過，跟自殺一樣。僱兇手，僱打手，認爲自己沒有罪，到了未來，你就知道；受報的時候，你才知道。看人家殺豬的，有時候看熱鬧，別去看殺生，見聞隨喜，你也有一份，你去看吧。

所以說我們受了八關齋戒的，不故往觀聽，就是這個涵義。如果沒有你的事，你去看什麼熱鬧？見者有份，你要懂得！特別是要槍斃人的法場，好多人去看，就有你的一份。這種場合都不要去，見聞隨喜。「由此遠離殺生輪故」，要遠離殺生輪，要不殺，還要把他皆悉輾碎，「輾壞摧滅無餘」。用這個不殺輪，十善輪不殺，用這個輪，輾壞一切殺的，那個業報，這樣就

「不受果報」。

「於現身中諸人天等皆共親愛，無所猜慮」，對你沒有猜慮，知道你不會傷害別人，因爲你怕犯戒。顧慮自己未來下地獄，你不是不想做，是不敢做。爲什麼不敢做？怕下地獄，畏地獄苦，而不敢殺生。我們看見飛禽，或者小動物，就想玩一玩，或者是養狗，養貓，養小鳥，養八哥鸚鵡，你把牠們關在籠子裡，將來你也要被關，你關牠們多久，就加倍奉還，牠並不快樂。你認爲快樂嗎？就像我們關到監獄裡，說不定我們過去養動物把它關了很久，也是這樣子。你看老虎關到動物園，關在那籠子裡，它急的來回在那裡頭走；野獸在山林裡住慣了，我們自己要自由，可是卻限制別的動物的自由，這個果報，想一想就可以知道了。

「一切法障，諸壽命障，自作教他，見聞隨喜」，於現身中諸人天等，皆共親愛，無所猜慮。「身心安樂」，壽命也長久了，將要命終的時候，身心不被「憂苦逼切」，正念現前，生極樂也靠得住了。「所愛妻子眷屬圍繞，臨命終時」，沒有恐怖的閻羅王現象。

「既命終已，還生人中，諸根圓滿，肢體具足，隨所生處，無病長壽，端正聰明，安隱快樂。復遇可意成調善法具戒富德眞實福田爲善知識，依彼修學離殺生法，能斷一切惡不善法，能成一切殊勝善法，能求一切大乘法義，能修一切菩薩願行，漸次趣入深廣智海，乃至證得無上菩提。所居佛土，離諸兵器，無有怨害鬥戰之名，絕諸怖畏，安隱快樂，一切無病長壽有情來生其國，如來自壽無量無邊，爲諸有情如應說法，般涅槃後，正法久住，利益安樂無量有情。善男子，是名菩薩摩訶薩第一遠離殺生輪也。」

「既命終已，還生人中，諸根圓滿，肢體具足，隨所生處」，又無病苦又長壽，相貌端正，人人歡喜，又聰明伶俐。「安隱快樂」，還能夠遇到可意的，遇到善知識，遇著善法，遇到「具戒富德眞實福田」，爲你作善知識，跟他「修學離殺生法」，這是十善業的初步殺生法；乃至於意念的不殺，不論你洗澡，不論你做什麼，對你自己的身內蟲子，要保護他們，這是微細的，這就很難了。

「能斷一切惡不善法，能成一切殊勝善法」，能成就一切的大乘法義。爲什麼我們聞到了大乘法，可是信不進去？有障礙。也能修習「一切菩薩願行」，菩薩發願怎麼做的？「漸次趣入深廣智海」，漸漸的就能趣入深廣智海。那就「證得無上菩提」，就成佛了。

「所居佛土，離諸兵器」，你所住的地方，連武器都沒有了，不但沒有武器，連互相怨害戰鬥的名字都沒有。「絕諸怖畏」，還有恐怖感嗎？沒有了。「安隱快樂，一切無病長壽有情來生其國」，就是沒病長壽的，都到你這個國土來。如來自己的壽命，無量無邊，不是像釋迦牟尼佛只有百年，「爲諸有情如應說法」，應以何機得度者，就給他說什麼法。這樣子，使正法久住，能夠利益安樂無量有情，使無量有情都得到快樂。善男子是名菩薩摩訶薩的第一遠離殺生輪，就是不殺，菩薩摩訶薩要成就這個不殺生輪。

「菩薩摩訶薩成就此輪故，於聲聞乘得無誤失，於聲聞乘補特伽羅得無誤失，於獨覺乘得無誤失，於獨覺乘補特伽羅得無誤失，於其大乘得無誤失，於其大乘補特伽羅得無誤失，常能熾然三寶種性。於諸如來出家弟子，若是法器若非法器，下至一切被片袈裟剃鬚髮者，得無誤失。於大乘法常得昇進無有退轉，利慧勝福常得增長。於一切定諸陀羅尼諸忍諸地速得自在無有退轉，常得值遇諸善知識隨順而行，常得不離見一切佛及諸菩薩聲聞弟子，不離聞法，不離親近供養眾僧。於諸善根常精進求心無厭足，常於菩提種種行願心無厭足，所得果報廣說如前。」

這段經文全是重複的，把前面那些話，又重複一遍。這要多作思考，這不只是語言文字，而是要我們去做。你害病找醫生看，沒有用處，只要不殺，停止殺業；乃至反過來放生，不但不殺，而且救眾生。我們說是吃點肉沒有什麼關係，有關係！你雖然沒有殺，你隨順殺，讚歎殺。如果要說殺生沒有什麼關係，吃肉沒有關係，說那動物就是給我吃的，魚鱉蝦蟹就是給人吃的！我說，你這個人還是給狗熊給老虎、給豹子、給狼吃的！能這樣說嗎？那只是遇到因緣了，你可以被它吃，沒有因緣，你吃不到它的，莫造業，就是講十輪之中第一輪不殺。

這個十善輪，大家可能看了一遍。總的說一下子，從不殺，乃至於到最後不癡，這十善是對著十惡的說，爲什麼這樣重複說呢？大家看到全文是一樣的，只是那個不殺、不盜、不邪淫、不綺語、不妄語，文字變更一點點，其他的都是一樣的。佛的用意，就是讓眾生多注意，讓我們多作觀想，多思惟，說一遍不行，說十遍該可以！涵義就是這樣子。這就是他重複的原因。

講這部經，不能一個一個去講，這樣太重複了，太重複了，就會有厭煩感。我們聽《金剛經》就比較直接了當的，願意聽。像這類的經，有些名詞，是這部經獨特的，大家懂得意思就行了，我們還是講第一遍，以後十輪，就不一個一個詳細的講。

「復次善男子，若菩薩摩訶薩能盡形壽離不與取，即是施與一切眾生無驚無怖，無有熱惱，亦無擾動，於自所得如法財利喜足而住，終不希求非法財利。由此善根速得成熟，所有前際輪轉五趣沒生死河，因不與取，造身語意諸惡業障，諸煩惱障，諸有情障，一切法障，諸財寶障，自作教他，見聞隨喜，由此遠離不與取輪，皆悉輾壞，摧滅無餘，不受果報。於現身中，諸人天等皆共親愛，無所猜慮，身心安樂，財寶具足。將命終時，身心不爲憂苦逼切，所愛妻子眷屬圍繞，臨命終時，不見可怖剡魔王使，唯見可意成調善法具戒富德眞實福田爲善知識，身心歡悅，深生敬信。」

這是十善業道的第二個，不偷盜。不與取就是沒有給你，你卻拿了，這就是盜。你要是能夠從聞法了之後，盡形壽不偷盜，形就是你這個身體，壽命是無形的，形體是有形的，就是到了你命盡的時候，一直到死亡，從不犯這個不與取戒，也就是不犯偷盜。我們受五戒的時候，只要不偷盜就是了，不犯這個戒，就是清淨的。所得的功德，就是不被人家偷盜，乃至於在這個戒上，你不犯錯誤。

但是另外的深切涵義，因爲這是菩薩摩訶薩所具足的十輪，不是衆生的不偷，他的意思就不同了。一個法，所含的義，從小到大，從凡夫一直到佛，他的涵義不同，名詞是一樣的；但是我們不殺，就絕對不能殺。如果殺就犯戒，而且是指殺人說。

偷盜，是不偷一切人的物質，不偷有主物。這個物品，有主的，就犯盜戒。無主的物，很難得說。要是山林，我們認爲是無主的，其實那是有主的，那是國家的。這個國界裡頭的，就是這個國家的，都算有主之物。在馬路上走，人家掉的東西，我不是偷的，是他掉的。我是看見東西，或者錢，或者什麼，你撿起來了，這個在我們受戒時，五戒，或者別的都不算犯盜戒，但是在比丘、比丘尼戒，不行，因爲不持金銀財寶，不持錢，拿了也是犯戒的。菩薩就不行，這個世界沒有無主的，說那個衆生掉的，我撿到的，菩薩也犯不與取戒。

同時菩薩必須得觀想，自己不偷盜，也願意一切衆生不偷盜，我不殺生，就把這個不殺的禁戒持到了，我把他作布施了，布施給衆生，這個我們絕對想不到。不偷盜，我不但不偷，還要布施給衆生，布施什麼呢？布施使他不要害怕，不要恐怖，不要熱惱。我們要是偷了他的東西，或者拿了，他丟失了，他一定會熱惱。或者這個東西跟他生命有關係的，他就生起恐怖感。好比說，偷別人的公文，或者偷人家的地契，偷人家的報賬單，在你是無所謂，在他可就損失大了；不但心不安，身也不安。他丟了之後，就到處找；偷有幾種，打劫別人的東西，這叫搶，也包括盜，偷盜，這叫盜，強盜。或者巧設種種的方法去騙，詐騙也屬於盜戒。如果講盜，那就很多，或者用語言，很巧妙的方式，不是我偷你的，是你給我的，但是你這算盜，因爲那是欺騙，詐騙，或者借了不還，也算盜。那個盜更重，講盜戒的時候，戒相非常的詳細，微細得多，但是在這個經義上沒有講。

佛講的是菩薩摩訶薩盡形壽，不能去偷盜，人家沒有給的，不能拿。反過來，我不偷盜的，還要布施給衆生，布施什麼？使他沒有驚恐，沒有熱惱，也不受擾動。於你自己所得的如法財利，合法的，像我們打工賺的，或者不管怎樣的，我們應得的。得到了，應當歡喜滿足而住，不要貪求而住，不住的意思就是還去追求。另外，凡是非法的財利，不該我得的，不去謀求它，也不去希求它。不但身不去做，心也不去想，口裡更不要說了。有些財物是從口裡騙來的，這個情況是有的。因爲這樣子不偷盜，善根很快就成熟了，因爲不偷盜的緣故，無有偷心。

那麼過去所造的業，前際後際，中際就是現在的，過去的前際的，你偷盜的罪惡，應該到五趣，五趣就是地獄、餓鬼、畜生，人天，阿修羅。因爲偷盜的關係，在這生死輪轉，生死就像長河似的，永遠沈沒在這個裡頭，出不去。「沒生死河」，淹沒在生死河裡頭。

因爲不與取，造的身業語業意業，諸惡業障，「諸煩惱障，諸有情障，一切法障，諸財寶障，自作教他，見聞隨喜。」這些是你過去所造的業，這個業就是因爲偷盜而造的身語意，諸惡業障，就是我搶的，用身體去搶劫，或者用口去騙取，或用意念去打主意。身語意所造的惡業，都屬於偷盜的。凡是屬於這個條文都是偷盜的，因爲這樣子，你自己的煩惱，惹起別人的煩惱，就障住你修道的道業。

如果我們做生意不順利，或者財源不順利，資生的工具不充足，你不怨天不尤人，就怨你自己，過去造了這些業，所以你有些障礙。對一切法，你都不能入，障住了。財寶，你也沒有具足。因此就產生了這種障礙，不但自己偷，或者教人家偷，自作就自己去做，教他就是教他去偷，教他去做，乃至於看別人偷盜了，你高興歡喜，見聞隨喜，這個隨喜不是善業，而是隨喜惡業。

如果你現在遠離這些罪障了，不與取了，不偷盜了，距離他很遠了，遠離就是不再造作的意思。「皆悉輾壞」，由現在這個輪，現在什麼輪呢？就是遠離不與取這個輪。過去在迷糊當中，在業障之下，所做的事情；現在要從此發願，不偷盜，也確實不偷了，就是我們現在不造，就把過去的業也都消失了；摧滅無餘，不受果報。這就是要懺悔，懺悔完了，以後不再做了。

「於現身中，諸人天等皆共親愛，無所猜慮」，別人對你不顧慮，丟了東西也不會想到是你拿的，就是這樣的意思。不猜慮，他掉東西絕對懷疑不到你的身上，不會懷疑是你偷了。不然，我們這屋裡有幾個人，某某人東西丟了，這個懷疑了，這個屋就這幾個人，不是張三，就是李四，但是由於你沒有這個業，他不會懷疑到你身上，就是這樣。

還有盜鬼神物。鬼，我們還能偷得了他的東西？神，我們也偷不了。不是的，凡是那個廟，土地廟任何東西、錢財，你不要拿，那是犯鬼神的。凡是廟上的東西，師父給你，你可以拿，那是他的私人物。但是他要拿三寶物送禮，拿十方常住物送禮，他犯，你不犯。

你上佛堂，師父給你的，你不犯他也不犯的。他說都是他的，他不是十方常住，爲什麼他要住精舍，不住大廟？這是有原因的，他就怕犯罪。到了廟裡頭，你隨便一舉一動，都得照顧，這是三寶的，錯吃一口都不可以。因爲這樣子，人家不猜慮你，身心安樂，你不偷盜，不會受窮的。你感這個果，財寶具足，到了你臨命終的時候，身心不爲憂苦逼切，感覺很輕鬆很自在，這十輪隨在哪一輪得到成就了。其他的就是次要的，強者把弱者都壓下去了。十輪成就，一輪都可以，臨命終的時候，你也看不見焔魔王使。

上面有一句「所愛妻子眷屬圍繞」，這就是壽終正寢，什麼叫正寢？死在自己的家裡頭，死在正堂上，你的屍體就停到堂屋，這叫壽終正寢。死到外頭，屍首運回來，那不算是壽終正寢。過去的古人說，你造很多業，造很多壞事，你死到外邊，就不算壽終正寢。死到家裡都很不容易，這在過去很多，現在壽終正寢的很少，因爲在醫院裡壽終，佔大多數。臨命終的時候，閻羅王你看不見，他也不會派人來勾你魂，不會的。只會看見你所滿意的，或者見光，聞香，或者你是信佛的，見聖像，你不信佛的，不偷盜的人，他得善神的護法，他見著善神。凡是合意的，那麼成調你的善法，就是善法具足，具戒富德。

善法調成都是隨順善法，「具戒富德」，持清淨戒，具有威德的。還是有眞實的福田，福田僧，或者是福田的居士，或者福田的優婆塞，優婆夷，給你作善知識，臨終的時候能見到他，你見著「身心歡悅，深生敬信」，因爲這種心情而死的，那麼「還生人中」，或生天上。

「既命終已，還生人中，諸根圓滿，肢體具足，隨所生處，具大財寶，端正聰明，安隱快樂，不與五家共諸財寶。復遇可意成調善法具戒富德眞實福田爲善知識，依彼修學離不與取，能斷一切惡不善法，能成一切殊勝善法，能求一切大乘法義，能修一切菩薩願行，漸次趣入深廣智海，乃至證得無上菩提。所居佛土，眾寶莊嚴，寶樹寶池寶臺殿等，無不充備，離我我所，無所攝受，一切具足嚴飾有情來生其國，如來自身壽命無量，爲諸有情如應說法，般涅槃後，正法久住，利益安樂無量有情。善男子，是名菩薩摩訶薩第二遠離不與取輪。」

「諸根圓滿，肢體具足，隨所生處，具大財寶，端正聰明，安隱快樂」，這跟前文是一樣的，只是中間的盜，或者是殺不同，其他都是相同的。再到人中，六根具全四肢也具足，所生的地方，具諸財寶。當然你的家族也很富有，就生到好人家，端正聰明，相貌很好的，誰看了都喜歡，聰明伶俐，安隱快樂。

「不與五家共諸財寶」，世間上一切財寶是五家共的，你不偷盜，就是你自己作得了主。五家不共，哪五家呢？國家沒收，或者徵調，或者盜賊搶你，搶你防不了，或者偷者偷你，就是兩家。水淹，大水給你沖走了，火燒，這就四家。最厲害的是家賊難防，不孝的子孫，你是沒有辦法的。一切世間的財是五家共的。你能夠安隱快樂，這個財寶不與這五家共的，只有你的福報，你的果所感的，沒收誰的也不會收你的。水不淹你，火也燒不到你這兒來，因爲你是善人，你的子孫都是善良的，不會背逆的，不會出那忤逆的子孫。

「復遇可意成調善法具戒富德眞實福田爲善知識」，那麼依著他修學，跟他修行，跟他學道，遠離不與取，持這個清淨戒，再不偷盜，說一切惡不善法，你都能夠斷。雖然只是持這一戒，其他的九善，你也能夠具足，有一個突出了，其他也能具足。

「能成一切殊勝善法，能求一切大乘法義，能修一切菩薩願行，漸次趣入深廣智海，乃至證得無上菩提，所居佛土，衆寶莊嚴，寶樹寶池寶臺殿等，無不充備。」這好像西方極樂世界，大家念《阿彌陀經》都知道，生到哪個世界都是一樣，生那個國土，生天上也是這樣。你去那個佛國土的那個佛，世尊如來，自身的壽命無量，爲一切有情如應說法，你去了就可以聞法。佛滅度後，你那個世界「正法久住，利益安樂」，無量的有情。「善男子，是名菩薩摩訶薩第二遠離不與取輪。」

「菩薩摩訶薩成就此輪故，於聲聞乘得無誤失，於聲聞乘補特伽羅得無誤失，於獨覺乘得無誤失，於獨覺乘補特伽羅得無誤失，於其大乘得無誤失，於其大乘補特伽羅得無誤失，常能熾然三寶種性。於諸如來出家弟子，若是法器若非法器，下至一切被片袈裟剃鬚髮者，得無誤失。於大乘法常得昇進無有退轉，利慧勝福常得增長。於一切定諸陀羅尼諸忍諸地速得自在無有退轉，常得值遇諸善知識隨順而行，常得不離見一切佛及諸菩薩聲聞弟子，不離聞法，不離親近供養眾僧。於諸善根常精進求，心無厭足，常於菩提種種行願心無厭足，所得果報廣說如前。」

三乘人，補特伽羅就是人，就是有情，聲聞乘，獨覺乘，大乘。受持三乘法的這三種人，你對他們說法，對他們教導，都不會有誤失，他們不會犯錯誤。就如法說，這些是菩薩摩訶薩，他問的是菩薩摩訶薩怎麼樣能成就他的大菩薩道？怎麼樣化度眾生？佛就跟他說了，有十輪，這個十輪講完了，後面還有十甲冑輪。十輪講到這裡就講完了，那十輪也是菩薩所做的。所以你看這十輪是重複，《大集十輪經》，專講十輪。

同於大乘法，漸漸的昇進，一直到成佛，從此不再退轉。「利慧勝福常得增長」，那個鋒利的智慧，像金剛那樣的智慧，殊勝的福德，永遠是增長的，同時也能夠得到戒定慧。這個本身遠離偷盜，遠離不與取，就是戒。你修定的時候，一切諸三昧，都能得到，乃至於成佛的時候，要經過十忍十地，也能夠得到自在，無有退轉，常得值遇諸善知識隨順而行，經常遇到名師指點你，教導你。你照著他所說的，他怎麼做，你也怎麼做，隨順而行，不背逆。

常得不離見一切佛，常得不離見一切諸菩薩，常得不離見一切聲聞，常得不離諸佛菩薩，聲聞弟子，常得不離聞法。你所在處，常時有說法的盛會，經常能夠聞到法，還能夠親近供養眾僧，這就是佛法僧三寶，你常時不離開，常得親近。

「於諸善根常精進求，心無厭足」，這是培植福德，培植善根，精進不懈的，沒有滿足的。對善沒有滿足，對於惡，一念不生，這就是一念成了佛。「常於菩提種種行願心無厭足」，發菩提心，行菩提行，發菩提願，沒有滿足的，所得的果報，廣如前說。

「復次善男子，若菩薩摩訶薩能盡形壽離欲邪行，即是施與欲流所

漂，一切眾生無驚無怖，無嫉無害，無有熱惱，亦無擾動，於己妻室喜足而住，終不希求非法色欲。由此善根速得成熟，所有前際輪轉五趣沒生死河，因欲邪行，造身語意諸惡業障，諸煩惱障，諸有情障，一切法障，諸室家障，自作教他，見聞隨喜，由此遠離欲邪行輪，皆悉輾壞，摧滅無餘，不受果報。於現身中諸人天等皆共親愛無所猜慮，身心安樂，妻室貞良。將命終時，身心不爲憂苦逼切，所愛妻子眷屬圍繞。臨命終時，不見可怖剡魔王使，唯見可意成調善法具戒富德眞實福田爲善知識，身心歡悅，深生敬信。既命終已，還生人中，諸根圓滿，肢體具足，隨所生處，具諸眷屬，端正聰明，安隱快樂，復遇可意成調善法，具戒富德，眞實福田，爲善知識，依彼修學離欲邪行，能斷一切惡不善法，能成一切殊勝善法，能求一切大乘法義，能修一切菩薩願行，漸次趣入深廣智海，乃至證得無上菩提。所居佛土，無諸女人，離諸婬欲，具足第一梵行有情來生其國，一切有情皆受化生，不處胞胎臭穢不淨，如來自身壽命無量，爲諸有情如應說法，般涅槃後，正法久住，利益安樂，無量有情。善男子，是名菩薩摩訶薩第三遠離欲邪行輪。」

邪淫，「即是施與欲流所漂，一切衆生無驚無怖」，跟盜戒一樣的，這也是布施給衆生。所有沈溺欲流的，貪著淫欲的，那一類衆生浮沈於三惡塗的。漂流一切衆生，給他們布施，給他們安慰，使他們不要驚恐，不要恐怖，跟前面一樣的。「無嫉無害，無有熱惱」，也無有擾動。「於己妻室喜足而住」，夫婦關係是人間的正道，所以受五戒的，不會防礙人間的正道，受菩薩戒的也不會防礙人間的正道。要是受比丘菩薩戒的，就不行了。有信位的菩薩，要斷一切欲。我們感覺到夫婦生兒育女，傳宗接代，這是人間的正常，但這個是對嗎？不對的。

就像我在北京北海公園裡的正覺殿，有位大學教授到北海公園去逛，他到那兒看見這間廟，他一進去，公園裡有間廟，他感覺很奇怪，可能他是第一次進去。北海公園的廟，是滿清帝王修的，以前並沒有開放。所以，那個廟是專門給喇嘛住的，不是給和尚住的，那個時候的皇帝都皈依喇嘛，拉攏蒙古，拉攏西藏，扶掖邊疆。

那位教授到那兒去，看見我們和尚，他對佛像也不恭敬，也不禮拜，他以教訓我的口吻說：「要是都像你這樣的人，我們這個人間就沒有了，就斷種了。」他跟我談了很多，我只舉今天所說的這個問題。我當時跟他說：「都像我們是不錯，都斷了欲，是絕種了。都像我是不可以，但是我可以說幾個地方，像極樂世界沒有女人，他沒有絕種，十方世界人都到那兒去。」

我說：「大梵天沒有絕種，那個沒有女人相，也沒有女人，只有六欲天；他沒絕，十方世界都往那兒生，不會絕種的。」他說：「這個我沒有看見，我不相信，我只相信眼前見到的。有事實我才相信，這個不是事實，是你們佛教虛編的。」

我說：「那我說點事實。都像我是不可以，都像你老教授，可以嗎？」「那有什麼不可以？我可以教人。」我說：「你吃飯不？你穿服不？你這衣服，這衣服從那兒來的呀？是教授做的嗎？是學者做的嗎？你吃的糧食，你們教授種地去嗎？都像我不可以，都像你也不可以，要是都像你，這個世界也沒有了，都餓死了，你也不要穿衣服，也不要吃飯了，你還要到這旅遊，不可能」。

假使說這個世界都像佛了，這是辦不到的事情，只能說是佛果。都像佛，這個世界就沒有了，全清淨了，這是絕對不可能的事情。這犯一個根本錯誤，不論你舉那一法，要都是那一法，什麼都沒有了，只有一個證得空性，人人都具足空性，人人都證不到。證到的很少，所以才成佛。物以稀爲貴，在人中的，有一個斷煩惱證菩提的阿羅漢，他就尊貴到不得了，就是這個涵義。

這位菩薩到盡形壽都能離開了，因爲菩薩有在家菩薩，有出家菩薩，所以他是離欲邪行，要全是菩薩了，就是離欲的正行邪行都不可以。但是你沒有欲念，對於一切的衆生就是供養他們，布施他們，無驚無恐，無嫉無害。邪欲就是嫉妒，奸淫出殺害；這一個戒破了，殺戒也破了，也能破酒戒，也能偷盜了。殺盜淫妄只要破一個，會有連帶的關係，也許就會破五戒，所以不能嫉妒。「無有熱惱，亦無擾動，於己妻室喜足而住」，應當滿足，欲望是無止境的。

「終不希求非法色欲」，不貪求非法的色欲。不合法的，未經過手續的，這叫非法色欲。現在沒有辦法，每天看報紙，非法的色欲看太多了，如果菩薩能夠盡形壽遠離了，由於這個善根一定能成熟，所有前際的輪轉五趣沒生死河。因欲的邪行，造身語意諸惡業障，諸煩惱障，諸有情障，一切法障，諸室家障。有室有家就是障礙，大家看「家」字，上頭有個寶蓋字，關到圈裡似的，無法出脫，等什麼呢？等著捱殺，關到家裡是等死，現在眞的死在家裡頭，還是正寢；要是死在外邊，就漂流了。

「自作教他，見聞隨喜，由此遠離欲邪行輪」，看電視的時候，你看見這種鏡頭，要發願，願一切衆生斷邪欲，一定要發願，你看看那個，再看看動物的世界，你說人跟動物區別有好多？都是爲了找食，互相殘殺。

我這幾天看電視才發現狗熊吃魚，北極狗熊就靠魚生活，什麼都沒有，冰天雪地，它會逮魚，這叫互相殘殺。命債互相的代，看到這些事，千萬不要隨喜。你說人跟人之間、畜生之間，有什麼區別？中國古代俚語上講，人之異于禽獸者幾希，很少；人講理，五欲境界，我們是適可而止，不讓他太過份。淫是三點水，淫就是過份，雨下太久了，簡直不停，久雨就生淫，淫就是過份的意思；愈過份，轉的動物愈小。

你可以觀察，鴿子、麻雀、老鼠，它們的欲念是無止境的，這些應當知道。「遠離欲邪行輪」，就是「皆悉輾壞，摧滅無餘，不受果報，於現身中諸人天等皆共親愛無所猜慮。」人天對你無所猜慮，你離開欲念，女性對你沒有防犯，絕對不會發生強暴的事情。男性的，你也可以認爲自己離欲了，一切的女性也不會對你生起貪愛心，因爲你的精神所放出的電光，所放出去的磁場，跟她不相應，不起作用。

這個問題很大。十善業道，淺顯說是我們人天乘，大了，聲聞乘也做不到，只能做到一部份，乃至菩薩摩訶薩也只能做到一部份。唯佛與佛，十善業道輪才能究竟成就，每一法都是這樣。所得來的果報，於現身中人天等皆共親愛，對你沒有猜慮，自己的身心也安樂。「妻室貞良」，按照佛經上面所說的，好像大男人主義很重，妻室貞良，好像不管丈夫，丈夫可以隨便嗎？男女都是這樣子，不可以！一般的都說妻室貞良，男人也應當這樣。

過去在戰國的時候，魯國柳下惠的哥哥，身不二色。古來人就提倡，只有妻室，男的不能跟其他的女人，女的不能跟其他的男人，有的時候，終身清淨，一生不娶的，古來人很多這種情形。有的人在評判的時候，認爲這種人愚癡，沒有智慧；食色者性也，說他連食色都不懂，這是愚癡，只有聖人才做得到。像柳下惠，坐懷不亂，魯男子是魯國的一個男人，他身不二色，一生守清淨戒，這是不容易的事情，要懂得這種道理。

將命終時，身心不為憂苦逼切，所愛的妻子眷屬圍繞。臨命終時，「不見可怖剡羅王使，唯見可意成調善法，具戒富德，眞實福田，為善知識。」這跟前文一樣的。那麼，「依彼修學離欲邪行」，這句經文不同了。前面那段經文是離不與取，這個是離欲，其他都一樣的。前面第一段是離不殺，「能斷一切惡不善法，能成一切殊勝善法，能求一切大乘法義，能修一切菩薩願行，漸次趣入深廣智海。」漸次的能成佛，「乃至證得無上菩提」，「所居佛土，無諸女人」，你生到那個佛土，持五戒不邪淫，你生到的佛土，沒有女人。

「離諸婬欲，具足第一梵行」，第一梵行就是清淨行。到了這個佛國土的人，都是具足清淨梵行的，都是離諸婬欲的。極樂世界就是這樣，東方藥師琉璃光如來世界、上方的不動如來世界也是這樣。凡是淨佛國土都是這樣子，那麼就不再受生；受生都是化生，梵天都是化生，極樂世界是蓮花化生。

那麼，處在母胎的，胞胎的臭穢不淨，這種情況沒有了，這個世界的佛，如來壽命無量。「爲諸有情如應說法，般涅槃後」，「正法久住，利益安樂，無量有情」，前面所說這些意思就結束了。這就是「善男子，是名菩薩摩訶薩第三遠離欲邪行輪」，這是第三輪。

「菩薩摩訶薩成就此輪故，於聲聞乘得無誤失，於聲聞乘補特伽羅得無誤失，於獨覺乘得無誤失，於獨覺乘補特伽羅得無誤失，於其大乘得無誤失，於其大乘補特伽羅得無誤失，常能熾然三寶種性。於諸如來出家弟子，若是法器若非法器，下至一切被片袈裟剃鬚髮者，得無誤失。於大乘法常得昇進無有退轉，利慧勝福常得增長。於一切定諸陀羅尼，諸忍諸地，速得自在無有退轉，常得值遇諸善知識隨順而行，常得不離見一切佛及諸菩薩聲聞弟子，不離聞法，不離親近供養眾僧。於諸善根常精進求心無厭足，常於菩提種種行願心無厭足，所得果報廣說如前。」

菩薩摩訶薩要成就這個輪，金剛藏菩薩問佛，於聲聞乘怎麼樣才得無誤失？於聲聞乘補特伽羅如何才能得無誤失？「於獨覺乘得無誤失」，「於獨覺乘補特伽羅得無誤失」，「於其大乘得無誤失」，「於其大乘補特伽羅得無誤失」，也常能使三寶熾盛，三寶的種性常能住。要是能夠成就遠離欲邪行輪，就能成就不殺輪，也能成就遠離不與取，這都是相同的。這樣於三乘法，於三乘人，能夠沒有錯誤。大菩薩在說法的時候，依法而為眾生啓示的時候，對聲聞乘，給他說聲聞乘法，不會錯亂的給他說大乘法，大乘人也不會給他說聲聞法。這就是對三乘應機說法，都沒有誤失，這樣子是正法久住。

上面所說的每一尊佛，般涅槃後，正法久住，就是這個涵義。於諸出家的弟子，「若是法器若非法器，下至一切被片袈裟剃鬚髮者，無有誤失」，不但對三乘人無誤失，只要是他被著一片袈裟，你要知道他為什麼能被到這片袈裟，這叫知根無誤，絕對沒有錯誤的。這樣於大乘法常得昇進，再不會退轉了。「利慧勝福」，那麼的「常得增長，於一切定諸陀羅尼，諸忍諸地，速得自在無有退轉，常得値遇諸善知識，隨順而行。」這跟前文都是一樣的，「常得不離見一切佛及諸菩薩聲聞弟子，不離聞法，不離親近供養衆僧」，對佛法僧三寶常得親近。

「復次善男子，若菩薩摩訶薩能盡形壽離虛誑語，一切衆生常共愛敬，所出言詞皆成諦量，聞悉敬奉，無所猜疑。由此善根速得成熟，所有前際輪轉五趣，沒生死河，因虛誑語，造身語意諸惡業障，諸煩惱障，諸有情障，一切法障，諸信言障，自作教他，見聞隨喜，由此遠離虛誑語輪，皆悉輾壞，摧滅無餘，不受果報。於現身中，諸人天等皆共親愛，無所猜慮，身心安樂，所出言詞，他皆信奉。將命終時，身心不爲憂苦逼切，所愛妻子眷屬圍繞，臨命終時，不見可怖刻魔王使，唯見可意成調善法具戒富德眞實福田爲善知識，身心歡悅，深生敬信。既命終已，還生人中，諸根圓滿，肢體具足，隨所生處，所言誠諦，端正聰明，安隱快樂。復遇可意成調善法，具戒富德，眞實福田，爲善知識，依彼修學離虛誑語，能斷一切惡不善法，能成一切殊勝善法，能求一切大乘法義，能修一切菩薩願行，漸次趣入深廣智海，乃至證得無上菩提。所居佛土，一切眞實，離諸虛僞，妙香潔物之所莊嚴，無諂無誑，心行正直，希求純淨善法有情來生其國，香潔妙服，寶飾莊嚴，如來自身壽命無量，爲諸有情如應說法，般涅槃後，正法久住，利益安樂無量有情。善男子，是名菩薩摩訶薩第四遠離虛誑語輪。」

虛是虛假的話，誑是騙人家的話，要離開。「一切衆生常共愛敬，所有言詞皆成諦量」，量是如理的意思，諦是理，量是如理。一切的語言，都是眞實的，這個眞實的是合乎法性的。我們所說的話都是不眞實的，沒有如理，不是諦，含有誑惑的成份。虛誑語包括很多，像我們，只要不是爲名利，不是爲自己有利，就可以了。菩薩就不行了，菩薩的要求很嚴格，菩薩是許可打妄語的，要行菩薩道。

例如佛在因地當中，有一隻布穀讓打鳥的獵人打傷了，那布穀就飛到佛這兒，佛就把它藏到懷裡，那打鳥的人過來看著，有這麼一個人，就問：「我剛才打了一隻鳥，你看到沒有？」「我沒看過。」這不叫打妄語。這隻布穀都藏到他懷裡了，還說沒有看到。這個不犯戒，他是爲了利益衆生，是佛的方便善巧，佛所說的法都是方便的。所以在《金剛經》上，佛說跟須菩提說，「知我說法，如筏諭者，法尙應捨，何況非法。」那就是方便，因爲方便善巧度衆生故，才如是說。其實沒有一切法，一切法都不成立，那就不叫虛誑妄語。因利益衆生故，殺戒，盜戒，跟婬欲戒，都如是。我們供養的提籃觀音，提籃觀音就示現女人，跟人結婚去了。她犯戒不？犯戒。她是爲了利益那個衆生，但是她結婚的那一天，就死了。結完婚了，行完婚禮了，那天晚上她就死了，她就讓人念〈普門品〉，或者是念幾品，或者後來還要念背誦《法華經》。那個姓馬的，一天到晚就是背《法華經》，她就嫁給他，可是到了晚上她就死了。那個姓馬的一看，人生這麼無常，這麼漂亮幹什麼，這麼就死了，他也就出家了，那是度他的。

大菩薩是行逆行，逆行就是不順行；跟這個佛的戒律是逆，雖然是逆行，他是眞正的順，眞順。他如理，懂得這個道理就行了，不然還有很多的迷惑。像這些衆生，人家都恭敬他，他離開了，不欺騙，說話都是眞實的。那麼人家對他所說的話，沒有可猜疑的地方，不懷疑，有了這個善根，成熟了。

諸信言障，他不信，他的話就成了障礙。若一個人讓人家指責說，你說一百遍，我都不信，這還是很不容易！說你誑言誑得太多了，誑言太多了，誰還信你嗎？人家欺騙一次、兩次、三次、五次、十次、三十次，就可以了。你說的話，一百次，因爲他說的虛誑話，說的不兌現，所以跳票，那就完蛋了。你的生意就沒辦法做了，因爲這個善根成熟了，過去的前際輪轉五趣，沒生死河，所打的虛誑語，那些種種的障礙，都消失了。所有遠離虛誑的輪皆悉輾壞遠離，再也不說假話。

「摧滅無餘」，以前造的就「不受果報，於現身中，諸人天等皆共親愛。」大家都親愛你，所以要是你很誠實的，不論跟誰做生意，都願意跟你交往，儘管沒有一個人是誠實的，但是每個人都希望別人誠實。懂得這個涵義？我想每個道友都懂，你聽見了，那麼希望別人都別誑騙我，我可以誑騙別人，這是每個人的心理。如果是希望別人都誑騙我，我絕不誑騙別人。誰誑騙我，我都善意的承受，這是大菩薩。

一切衆生殺我，我都能忍受，我願意供養給衆生；但是我不惱害一個衆生，包括螞蟻。我們在紐約有蟑螂、老鼠，有個弟子問：「那蟑螂螞蟻怎麼辦？」又不能打它，又不能用開水燙它，又不能洒藥。信了佛了，我說：「你給它說法！」「它能懂嗎？」我說：「我跟你說法，你也有些不懂。我看了經，經上說的，我還是不懂，很多都不懂。你不能因爲它不懂，就不說了，你試試看，它就眞有靈的。」他說：「靈了！」它們就沒有了。

這種事很多，你相信了就成了；不相信，什麼都不靈，相信就靈了。地藏菩薩在經上說，念我名號就可以，但還是不念。念嗎？我感覺到我沒有天天的這樣子，一天念一萬聲，沒有做到。但是我的道友，有好多人做到了，「我爲什麼做不到？沒有時間！」這都是藉口，信的力量還是不夠。「我講經就夠了！」總是推到別的原因，就是不能夠做。要是眞正的不懈怠的，不管是什麼障礙，我一天念他一萬聲，地藏王菩薩就接引你；接引你，不過念一千聲，你還得三年。有時候打個七，念他一百萬聲。

那麼，一天念一千聲，你得念好久才念一百萬聲？一天念一千聲，一月是三萬聲，一年是三十多萬聲，你念一百萬聲得念三年。你勇猛精進的時候，你就念一百萬聲，念完了又懈怠三年；到了三年，你又念一百萬聲。這也可以的，我是這樣計劃的。到了一年，我打個七，我念一百萬聲，或者更多一點。說念一百萬聲，其實就念一百一十萬聲，爲什麼呢？有時會打妄想的，多念十萬聲，完了補那個妄想，知道嗎？我們念經的時候，要多念一點，打妄想不要緊；晚了，你補上去，那眞的可以補了。念的時候，我念一千聲，你要多念一百聲。因爲這裡頭，打妄想，或者數珠數錯了，也有數字不準確，念多無少，前面那個障礙都斷了。

遠離虛誑，你應該怎麼辦對治他呢？說眞實話。說話絕對要考慮一下再說，別信口開河就說了，考慮一下才說。人家一問就答，容易錯誤，信口開河，就是這個涵義。把過去的果報都摧滅了，就再不受果報了。

「於現身中，諸人天等皆共親愛，無所猜慮，身心安樂，所出言詞，他皆信奉。」人家都信你的話，照你的話去做；或者是你說的話，人人都遵行，那就是你的信用。在國人之中，個個信受，我們這位總統盡說老實話，他所說的政策絕對做得到的，國家訂出政策來不會一個人說的兩個人說的，盡是欺騙的。

殺戮太重，國將不久，不會存活一百年。元朝的時間最短，李自成更短十八天，到了第十八天，滿清入關就把他攆跑了。他盡說假話，殺人太多。「命終的時候，身心不會憂苦逼切，所愛的妻子眷屬圍繞，臨命終時，不見可怖剡羅王使」。所愛妻子眷屬圍繞，大家都在那兒說眞實話，就送他走，讓他眞實，這是很重要的。在臨死的時候，面對情愛關，要是哭哭啼啼的，他的神識就被你掐住了，難得超脫。

學習離虛誑語。大家可能說，離虛誑語還要學？因爲大家沒有學戒經，學戒經，每一個戒法都要學。怎麼樣犯了虛妄語？怎麼樣虛妄語還沒犯？虛誑語因，虛誑語緣，虛妄語戒。完了，騙求名利，騙誑前人，前人受了損失了，成犯，隨便你騙小孩子，大概那個沒有犯就不算犯虛妄語戒。不過你這樣騙小孩有什麼不好呢？那小孩就向媽媽學了，就向爸爸學了，他長大了就會說假話。因爲小時候就學會了，媽媽爸爸都這麼說，空拳哄小兒；說你不哭，我給你個餅子，或者給個糖，等他不哭，要拿的時候沒有，那孩子就知道這是騙人的，他也會騙你。懂得這個道理就行了。

你必須得學，不學你還是不會。學習怎樣遠離虛誑語，遠離虛誑語多說誠實話，「能斷一切惡不善法，能成一切殊勝善法，能求一切大乘法義，能修一切菩薩願行，漸次趣入深廣智海」，漸次能成佛。

「乃至證得無上菩提，所居佛土」，那個佛土「一切眞實」，沒有一個佛土不眞實的，而釋迦牟尼佛這個佛土不眞實，爲什麼呢？因爲這是化身，不是淨的，是五濁惡世。佛就說這個世界是不眞實、虛幻，所居的佛土，因爲這個釋迦牟尼佛專度說虛誑語的，所以他就到這兒來，地藏菩薩專到地獄，其他的佛國土沒有地獄，極樂世界或者他那個世界沒有地獄，沒有三塗，不但沒有三塗，也沒有六道，只有化生的人，那些人都是菩薩。

漸次的趣入深廣智海，證得無上菩提。他所居的佛土都是眞實的，離諸虛僞，妙香潔物之所莊嚴，無諂無誑，都是端正的，心行正直，希求純淨善法有情的衆生，才能生到這個國土。

我們這是講妄語，純淨不？你行善法是不是眞正的行善？我們認爲，我們行善了，做好事了，中間總夾雜著很多不純不清淨。例如放生，每個人的想法都不一樣，雖然不純淨，功德還是有的。放生，純淨嗎？不純淨。爲什麼呢？心裡想什麼，自己知道。

我們做一切事，都夾雜著附帶條件，就像借給別人錢，得有個證據，或者到銀行借款，得拿房產抵押，都須要有個什麼東西。我們都有個抵押，希望你回報。我放生，看著那個畜生，又游回來了，心裡很高興。好像它還回報來了，都有個希求。如果它沒有回報就走了，這個無情無義的，我救了它，它還是無情無義的。這類事很多，我們做一切事，心裡頭夾雜了很多東西，念一部經，念經、念佛，當中有很多的夾雜。完了，發願求這個，求那個，菩薩你給我加持加持誰，等你求的時候，就是佛菩薩加持，等佛菩薩加持完，過去了，再不找佛菩薩了，就是這樣。以後又來了，又去抱佛腳。這就是衆生心，這就叫不純淨，你要想希求純淨的善法，有情來生其國，必須得純淨；要生佛土，就得想純淨，不說假話，不打妄語。

「菩薩摩訶薩成就此輪故，於聲聞乘得無誤失，於聲聞乘補特伽羅得無誤失，於獨覺乘得無誤失，於獨覺乘補特伽羅得無誤失，於其大乘得無誤失，於其大乘補特伽羅得無誤失，常能熾然三寶種性。於諸如來出家弟子，若是法器若非法器，下至一切被片袈裟剃鬚髮者，得無誤失。於大乘法常得昇進無有退轉，利慧勝福常得增長。於一切定諸陀羅尼諸忍諸地速得自在無有退轉，常得值遇諸善知識隨順而行，常得不離見一切佛及諸菩薩聲聞弟子，不離聞法，不離親近供養眾僧。於諸善根，常精進求心無厭足，常於菩提種種行願心無厭足，所得果報廣說如前。」

被一片袈裟的善根，跟那個持清淨戒的善根不同，也不如那個破戒的，他的善根不同。你僅僅被一片袈裟，是什麼心被的？這都是有因，一切諸法皆有因。犯戒也要查你的因，什麼因？什麼緣？具足那一因成犯，具足另一因不成犯。

「復次善男子，若菩薩摩訶薩能盡形壽離離間語，一切眾生常共愛敬，所發言詞皆令和順，聞悉敬奉，無所猜疑。由此善根速得成熟，所有前際輪轉五趣沒生死河，因離間語，造身語意諸惡業障，諸煩惱障，諸有情障，一切法障，諸和敬障，自作教他，見聞隨喜，由此遠離離間語輪，皆悉輾壞，摧滅無餘，不受果報。於現身中，諸人天等皆共親愛，無所猜慮，身心安樂，所發言詞，皆令和順。將命終時，身心不爲憂苦逼切，所愛妻子眷屬圍繞。臨命終時，不見可怖剡魔王使，唯見可意成調善法，具戒富德，眞實福田，爲善知識，身心歡悅，深生敬信。既命終已，還生人中，諸根圓滿，肢體具足，隨所生處，所言和順，端正聰明，安隱快樂。」

離間語就是兩舌，挑撥離間。大家離間了，大家就變了，互相仇恨，還能互相愛敬呢？要是離了離間語，不搬弄是非，大家在相處的時候，互相尊敬，所發的言詞都是和順的，不是暴力的。挑撥離間，就是不和順的，我們當張三說李四，當李四說張三，挑撥離間的事太多了，在和尚裡頭，出家人裡頭，叫破和合僧，我們一般人的離間語就是挑撥離間。但是有的人，他還會得自己得著利益，有的人他讓別人去鬥，得不到什麼利益，但是他很高興；他就喜歡看見別人鬥，喜歡製造別人去鬥。像這種的果報，受起來很慘，人跟人之間如是，國跟國之間也如是。

離間語、惡語，「惡語傷人六月寒」，六月天太熱了，你說的話太刺激他，他就敏感，很熱的天，汗也不流，他就起雞皮疙瘩，冷了。要是說好聽的話，這麼冷的天氣，「良言一句三冬暖」，就是再冷的天，他心裡感覺很舒服，懂得這個道理就行了。所以，我們不要說離間話。

復次，善男子，若菩薩摩訶薩能盡形壽的離開離間語，一切眾生互相的親愛，發的言詞都和順，大家互相敬奉。聽你說話，都是這個人好，這個人從來不是兩面派，不當這個說那個，當那個說這個的。一個議會，不論美國共和黨跟民主黨，台灣的民進黨跟國民黨，乃至加一個新黨，他們是怎麼樣運作？挑撥你們不和，我就可以從中得利。我的票多了，你的票一定少了，我當了權，你就得聽我的了，我就不需要聽你的。目的就是這麼一個，看的很清楚。但是得離開議會外看，議會裡頭看不到。這些什麼呢？就是互相離間，互相挑撥。

今天剛開立法院會議，第一次就打，平日的挑撥離間成熟了，那個疙瘩不解開，一開會就爭了，一開會就打，那能好嗎？說我是爲百姓，我也是爲人民，你選我一票，我將來給你們利益，怎麼怎麼：：。大家選完了，他們到立法院，忘了選票，忘了人民利益，就會打架。

我們講《大集十輪經》，要講講十善輪、十惡輪，每個人都斷十惡輪，行十善輪。不但這個世界上，連阿修羅跟天人也不打，用不著打，沒有必要，那就很好。現在這些障礙，就能離開了，不然是離不開的。因爲離間語造身語意所有的諸惡業障，諸煩惱障，諸有情障，一切法障，諸和敬障，或者自作，或者教他作，見聞隨喜，我們看見人家打仗，不要生歡喜心，看鬥爭時生厭離心，爲什麼要這麼做？不管他用什麼理由，都不是理由。你已經打了，打了就已經沒有理由了，還有什麼理由？還要找理由，找理由本身就是錯誤。道理要靠打架能解決嗎？所以，人家用飛彈打你是正當的。什麼理由？就是打你，這就是強權，這不叫公理，這叫強權。

講平等，我看釋迦牟尼佛是最講平等，對誰都一樣的，都能成佛。佛就說，你們跟我一樣，你們性本具的，那體跟我一樣，大家都一樣；但是我把業障清除了，你們還有些業障。業障就是離言語障，你要是不離間語了，業障就除掉了，這個離間語輪，把他都輾壞了。「摧滅無餘，不受果報」了。

佛講這段經文是從凡夫講起的。從凡夫、聲聞到菩薩，到成佛，都是從做人開始起，所以每段經文都是從做人開始。

「復遇可意成調善法具戒富德眞實福田爲善知識，依彼修學離離間語，能斷一切惡不善法，能成一切殊勝善法，能求一切大乘法義，能修一切菩薩願行，漸次趣入深廣智海，乃至證得無上菩提。所居佛土，一切堅密，難可破壞，諸美妙物之所莊嚴，無違無競，善和諍訟，希求淳質。善法有情來生其國，常修和敬，聽聞正法，如來自身壽命無量，爲諸有情如應說法，般涅槃後，正法久住，利益安樂無量有情。善男子，是名菩薩摩訶薩第五遠離離間語輪。菩薩摩訶薩成就此輪故，於聲聞乘得無誤失，於聲聞乘補特伽羅得無誤失，於獨覺乘得無誤失，於獨覺乘補特伽羅得無誤失，於其大乘得無誤失，於其大乘補特伽羅得無誤失，常能熾然三寶種性。於諸如來出家弟子，若是法器若非法器，下至一切被片袈裟剃鬚髮者，得無誤失。於大乘法常得昇進無有退轉，利慧勝福常得增長。於一切定諸陀羅尼諸忍諸地速得自在無有退轉，常得值遇諸善知識隨順而行，常得不離見一切佛及諸菩薩聲聞弟子，不離聞法，不離親近供養眾僧。於諸善根常精進求心無厭足，常於菩提種種行願心無厭足，所得果報廣說如前。」

做了人，經常遇著善知識，遇著他做什麼呢？學離離間語，學習不要說挑撥離間。挑撥離間的害處相當大，你要是挑撥人家，也挑撥自己；你經常挑撥人家，沒有人跟你說一句好話的，這不就是得到果報？要是離開了離間語，能斷一切惡的不善法，能成一切殊勝善法，能求一切大乘的法義，能修一切菩薩的願行，漸漸的就趣入深廣智海，乃至證得無上菩提，就成佛了。所居的佛土，「一切堅密，難可破壞」，不是離間語能破壞得到的。我們內部機制不健全，離間語就容易發生作用，你自己已經在打仗，等外部一挑撥，打得更兇。

自己不爭氣，還在一天吵呀吵，自己不爭氣，不要怪人家。一個惡都沒有了，能成一切殊勝的善法，能成大乘法義，這都能成就了。我們去除不善業，不善業去除了就是善業，所以能夠深入智海，乃至證上無上菩提。所居佛土堅密，「難可破壞，諸美妙物之所莊嚴，無違無競，善和諍訟，希求淳質。」淳質就跟淳淨的意思是一樣的。

菩薩摩訶薩教化一切衆生的時候，於法於人都無誤失。法無錯誤，人也無失，不要錯認了機，把小乘當成大乘；面對五逆不惡的、不信佛法的，卻給他說大乘法，說者是錯誤的，要受報的。

「復次善男子，若菩薩摩訶薩能盡形壽離麤惡語，一切衆生常共愛敬，所發語言皆令歡悅，聞悉敬奉，無所猜疑。由此善根速得成熟，所有前際輪轉五趣沒生死河，因麤惡語，造身語意諸惡業障，諸煩惱障，諸有情障，一切法障，諸調善障，自作教他，見聞隨喜，由此遠離麤惡語輪，皆悉輾壞，摧滅無餘，不受果報。於現身中，諸人天等皆共親愛，無所猜慮，身心安樂，所出言詞皆令歡悅。將命終時，身心不為憂苦逼切，所愛妻子眷屬圍繞。臨命終時，不見可怖剎魔王使，唯見可意成調善法具戒富德眞實福田為善知識，身心歡悅，深生敬信。既命終已，還生人中，諸根圓滿，肢體具足，隨所生處，所言柔軟，端正聰明，安隱快樂。」

麤惡語就是說惡話，說不好聽的話。罵人，所說的話帶著髒字，要是四川人，他一開口，就說格老子。格老子是什麼呢？格老子是他說話的口頭語，就像前面舉的例子，他見誰都叫人家是小輩。我跟我老師抬過槓，老師說這是他的習氣。我說：「習氣？」他對佛怎麼不敢稱小輩，他是世尊。世尊，他見了國王怎麼敢說小輩呢？什麼習氣？習氣是可以改的。他的口頭語，甚至見了誰都是龜兒子。我說：「他見了地方官，見了警察，他倒不敢說他是龜兒子。」凡是一切的習慣，改不改沒有關係，這就糟糕了。我們一切的生活習氣，或者麤惡語，就這樣子，認爲沒有關係。佛經上講戒的時候，因爲不那樣說不行；那時候，說了都算犯戒。戒律必須得如實說，如實的說，把事實弄清楚，除了戒律之外，都不能說麤惡語。

不麤惡語，就是柔順語。柔軟的語詞，說著人家都喜歡愛聽的愛語；柔軟，就是音調很柔和的。說話不要粗暴，或者跟人家大聲忤氣的，臉也紅了，眼睛也瞪起來了，你還沒有說話，人家看了就煩惱。你要是一說話，當然更如是了。這類事很多，都是不端正不聰明的表現，人在發脾氣的時候，相貌非常難看。

「復遇可意成調善法，具戒富德眞實福田爲善知識，依彼修學離麤惡語，能斷一切惡不善法，能成一切殊勝善法，能求一切大乘法義，能修一切菩薩願行，漸次趣入深廣智海，乃至證得無上菩提。所居佛土，遠離一切不可意聲，種種上妙，如意和雅，諸意樂聲，結集法聲，充滿其土，具足念慧，梵音清徹，調善有情來生其國，常以軟語更相勸進，如來自身壽命無量，爲諸有情如應說法，般涅槃後，正法久住，利益安樂無量有情。善男子，是名菩薩摩訶薩第六遠離麤惡語輪。菩薩摩訶薩成就此輪故，於聲聞乘得無誤失，於聲聞乘補特伽羅得無誤失，於獨覺乘得無誤失，於獨覺乘補特伽羅得無誤失，於其大乘得無誤失，於其大乘補特伽羅得無誤失，常能熾然三寶種性。於諸如來出家弟子，若是法器若非法器，下至一切被片袈裟剃鬚髮者，得無誤失。於大乘法常得昇進無有退轉，利慧勝福常得增長。於一切定諸陀羅尼諸忍諸地速得自在，無有退轉，常得值遇諸善知識隨順而行，常得不離見一切佛及諸菩薩聲聞弟子，不離聞法，不離親近供養眾僧。於諸善根常精進求，心無厭足，常於菩

提種種行願心無厭足，所得果報廣說如前。」

「復遇可意成調善法，具戒富德眞實福田為善知識，依彼修學」，得要學怎麼樣才能離這個麤惡語，這個又不同，跟前面不同，音聲「種種上妙」，生到極樂世界，連鳥叫都是在說法的，哪還有麤惡語？沒有了，一切那個心情調善的，語言柔和的，聲音微妙的，都生到這個佛國土來了。「常以軟語更相勸進」，要精進修行。

什麼算是有智慧的？什麼是能夠使衆生得到利益的？乃至於鋒利不為一切的黑暗障礙所阻住，這就是智慧，這就是慧劍，慧劍斬除魔。金剛般若波羅蜜就是，那個智慧像金剛那樣堅固，像金剛那樣鋒利，能破除一切惑，這就叫利慧。這個利慧可以說是得了金剛智慧，也就是般若智。

什麼是勝福？不執著。菩薩做一切事度一切衆生，沒有福德。須菩提，他就奇怪了，做這麼多，沒有福德？菩薩做福德他不執著，這個福德是最大的。當我們做一切好事不執著，這個好事就變成很大，這利慧福德多種的理解，常得增長。

「復次善男子，若菩薩摩訶薩能盡形壽離雜穢語，一切眾生常共愛敬，所發言詞皆有義利，聞悉恭奉，無所猜疑。由此善根速得成熟，所有前際輪轉五趣沒生死河，因雜穢語，造身語意諸惡業障，諸煩惱障，諸有情障，一切法障，諸義利障，自作教他，見聞隨喜，由此遠離雜穢語輪，皆悉輾壞，摧滅無餘，不受果報。於現身中，諸人天等皆共親愛，無所猜慮，身心安樂，所發言詞皆成義利。將命終時，身心不爲憂苦逼切，所愛妻子眷屬圍繞。臨命終時，不見可怖剎魔王使，唯見可意成調善法具戒富德眞實福田爲善知識，身心歡悅，深生敬信。既命終已，還生人中，諸根圓滿，肢體具足，隨所生處，言必饒益，端正聰明，安隱快樂。」

雜穢語是語業當中最後的一項。虛誑語，麤誑語，離間語，這個語業的第四種是雜穢語，也就是綺語。綺語是指無益利的語言，這裡是指雜穢語，穢就是不淨的意思，就是說我們一般的散心雜話。有幾個人坐著，閒談，就是這樣，什麼都可以談，那就是雜穢。因爲說雜穢的人得不到衆生的恭敬，衆生不願恭敬，因爲他沒有義利，就是我們所說的語言乏味，面目可憎。

如果是離了雜穢語，那就有意義了，一切衆生就願意親近他，恭敬他，愛敬他。那麼，離開雜穢語了，他所說的話有道理，對衆生都有利益，人家聞到了，就恭敬你，不會猜疑。如果你說話，人家打折扣，那就想想你說話是什麼意思？這就是猜疑，不完全信你的話，對你的話有疑惑。如果離開了雜穢語，使你速能成熟，成熟什麼呢？成熟淨業。過去的所有前際輪轉五趣沒生死河，這個果報，是因爲你雜穢語的關係，同時造了很多的身語意，「諸惡業障」，意就是意義。

念過〈梵行品〉的都知道，語，語業，也是這樣的涵義。意，意業，身，身業。身跟身業不同的，因爲沒有意義的話，所以使你的身口意，所作的業，所有的作用，都成了障礙。你教化衆生、度衆生，跟衆生共同學習的時候，都成了你的障礙，也就是人家不願意理你。因爲有這個障礙，或者是自己的說雜穢語，乃至教人家說雜穢語，或者聽人家說雜穢語，你都讚歎隨喜。

在茶館、酒館、飯館、舞廳，這類言語太多了。你對這類事情，不要產生見聞隨喜，要遠離。如果遠離了雜穢語，這就成了輪，遠離雜穢語業輪有十輪的，這是十輪的最後一輪。由這個輾壞了雜穢語這個輪，輾壞了，你過去的一切雜穢語的業，摧滅無餘了，不受果報了。不受果報，就是前際。現際，就是「於現身中，諸人天等皆共親近」。

如果人天都親近你，對你這個人，對你的語言，沒有猜測，沒有顧憂，誠懇的信樂，你自己的身心也安樂。所有的言詞，「皆成義利」，不是無義利語，所有的言詞，使衆生一切有情能得到利益。如果你將要命終的時候，你的身心都不受憂悲苦惱的纏縛，也不爲苦難折磨逼切，苦是迫逼性的，要迫逼你身心不得安樂。身心得了安樂，這種迫逼性就沒有了，每個人都希望在死的時候，自己六親眷屬，最愛的妻子，都圍繞在你的身前。

這句話看起來很簡單，很多人死的時候，妻子沒有在眼前，或者死於車禍，或者死於外地。能得到壽終正寢，在死的時候，最親愛的人都能夠圍繞，這是很幸福的，走的也很愉快。雖然是最後的別離，還是很好的別離。你也沒有見著可怖的焰魔王使，黑無常，白無常，他們是勾魂使者，就是勾你的，你也沒有見到。

當命終的時候見到這個，會產生恐怖。不過你所見到的都是可意的，都是調順的善法，所見到的都是具戒富德有眞實福田的善知識；使你的身心很歡喜，很快樂，很欣悅。同時，對這個善知識，深生敬信，這樣你走的時候，會走的很好。

如果你沒有修行，僅僅一個離雜穢語，因爲成就這一業的關係，你還能生到人中來，就不是前面那個十惡業輪裡頭所說的，一生到人中來，諸根欠缺，肢體不具足。這個是生到人中來，諸根圓滿肢體具足，「隨所生處，言必饒益」，隨你所生，到了任何地方，你的發言都能饒益於人家，每個人都生歡喜，你的相貌，「端正聰明，安隱快樂」。

「復遇可意成調善法具戒富德眞實福田爲善知識，依彼修學離雜穢語，能斷一切惡不善法，能成一切殊勝善法，能求一切大乘法義，能修一切菩薩願行，漸次趣入深廣智海，乃至證得無上菩提。所居佛土，遠離一切無義利聲，種種上妙菩薩藏攝，大法音聲周遍國土，成就無邊大願妙智，能善辯說種種法義，如是有情來生其國，如來自身壽命無量，爲諸有情如應說法，般涅槃後，正法久住，利益安樂無量有情。善男子，是名菩薩摩訶薩第七遠離雜穢語輪。菩薩摩訶薩成就此輪故，於聲聞乘得無誤失，於聲聞乘補特伽羅得無誤失，於獨覺乘得無誤失，於獨覺乘補特伽羅得無誤失，於其大乘得無誤失，於其大乘補特伽羅得無誤失，常能熾然三寶種性。於諸如來出家弟子，若是法器若非法器，下至一切被片袈裟剃鬚髮者，得無誤失。於大乘法常得昇進無有退轉，利慧勝福常得增長。於一切定諸陀羅尼諸忍諸地速得自在無有退轉，常得值遇諸善知識隨順而行，常得不離見一切佛及諸菩薩聲聞弟子，不離聞法，不離親近供養眾僧。於諸善根常精進求心無厭足，常於菩提種種行願心無厭足，所得果報廣說如前。」

這是說你再來了人間，也跟前面臨終的時候一樣，也遇到可意的善知識；他把惡法都調了，沒有惡法，都成了善法，具足了清淨戒，富有福德、智慧之相。眞實的福田是指著出世福田說的，眞實的福田，就是稱自己的理性福田，不是虛妄的福田，像那善知識來給你作依止，你跟他學習什麼呢？學習離雜穢語，就是不說無意義的話，這個十惡業跟這十善業，兩者是相對的。

十善業好好學習，那十惡業就變成十善業了，十善業的好好學習，十惡業就沒有了，就斷了。

過去我們認為十善業只說人天福報，如果進一步，以十善業為基礎，向前進步，一切善法都能夠成長，一切惡法都能離開。你就能夠成就一切殊勝的善法，這就包括四諦、十二緣、六度。這時候你如果求大乘法義，能夠修菩薩的願，發菩薩的願，行菩薩的行。你漸漸的就得入般若智慧，深入深廣的智海，乃至直至成佛，證得無上菩提。那麼，你所居的佛國土，遠離一切無義利聲，聽都聽不到那無義利的語言。那麼，種種上妙的「菩薩藏攝」，所聞的法義都是微妙的，都屬於大乘的菩薩。

「大法音聲周遍國土」，這種的法音遍佈全國，遍佈你所居的佛國土。這個的國土不是一個小洲，而是佛的世界，我們的娑婆世界，就是所有的法音遍娑婆世界。「成就無邊大願妙智」，這個只說大乘，有時候，佛說大乘就是該攝二乘。如是有情來生其國，形容這個佛國土什麼樣子呢？這個佛國土非常莊嚴，盡是大乘所攝，極樂世界也是，到那兒去直至成佛。但是這個蓮花池裡頭，也有聲聞，也有緣覺，都是趣向大乘的，並不是娑婆世界那些斷菩提種子的聲聞，而是有菩提種子的聲聞。

佛的壽命呢？自身如來的壽命，無量無量，如來就是極樂世界阿彌陀佛的，壽命無量，無量佛，每位諸淨佛國土佛的壽命都是無量的。爲了諸有情如應說法，是什麼機，給他說什麼法。佛涅槃後，那個國土的「正法久住，利益安樂無量有情」。沒有像法、末法，正法永遠住世的。

「於諸善根常精進求心無厭足」，培植善根的話，永遠沒有滿足的，直至成佛。「常於菩提種種行願心無厭足」，千百萬億願，千百萬億行，永遠沒有滿足的。所以地藏王菩薩還在發願的，十地菩薩還在發願，他發的利益衆生願，「所得果報廣如前說」，這些話說了第七遍，總共要說十遍。

身業的殺盜婬，口業的虛誑語，就是妄語。這部經翻譯的名詞，有些變化，虛誑語就是妄語，兩舌就是離間語，他不叫兩舌，叫離間語；惡口，他叫麤詎語；綺語，他叫雜穢語。雖然名字不同，意義是一樣的，大家要知道，這個名詞在各個經上不同，但是他的意義是一樣的。這以下還有三輪，都是重複的。

「復次善男子，若菩薩摩訶薩能盡形壽遠離貪欲，一切眾生常所愛重，其心清淨，離諸染濁。由此善根速得成熟，所有前際輪轉五趣沒生死河，因貪欲故，造身語意諸惡業障，諸煩惱障，諸有情障，一切法障，諸無貪障，自作教他，見聞隨喜，由此遠離貪欲輪故，皆悉輾壞，摧滅無餘，不受果報。於現身中，諸人天等皆共親愛，無所猜慮，身心安樂，其心清淨，離諸染濁。將命終時，身心不爲憂苦逼切，所愛妻子眷屬圍繞。臨命終時，不見可怖剡魔王使，唯見可意成調善法具戒富德眞實福田爲善知識，身心歡悅，深生敬信。既命終已，還生人中，諸根圓滿，肢體具足，隨所生處，其心清淨，離諸染濁，端正聰明，安隱快樂。復遇可意成調善法具戒富德眞實福田爲善知識，依彼修學離貪欲法，能斷一切惡不善法，能成一切殊勝善法，能求一切大乘法義，能修一切菩薩願行，漸次趣入深廣智海，乃至證得無上菩提。所居佛土，地平如掌，眾寶充滿，種種寶樹行列莊嚴，種種寶衣寶莊嚴具寶幢幡蓋，金銀眞珠羅網等樹，處處皆有，甚可愛樂，遠離憍慢，顏貌端嚴，諸根無缺，其心平等。如是有情來生其國，無貪功德圓滿莊嚴，如來自身壽命無量，爲諸有情如應說法，般涅槃後，正法久住，利益安樂無量有情。善男子，是名菩薩摩訶薩第八遠離貪欲輪也。」

離貪欲很不容易，離貪欲到究竟離貪欲了，就是斷除無明了。這個貪欲，分成好多層次。當我們業很重的時候，緣念三寶的時候，就是對的，到了究竟的時候，緣念三寶也成爲障礙。緣念三寶還是有法，若到了畢竟空，善法惡法都沒有了。善法三寶，三寶就是學戒定慧，因爲恭敬三寶學戒定慧，就是滅除貪瞋癡，對治貪欲的。貪瞋癡沒有了，戒定慧你也不要執著，再執著就成病了，那就屬於執著病了。

例如我們設間佛堂，我們要是請到佛像，極爲恭敬的，本來有一個紙像供在那兒，一樣的，乃至供著幾萬塊的，或者十萬塊錢的，都表示尊敬，這裡頭有善的貪念。有時候我也是這樣，這種貪念很重，要克服那個貪念，就是念佛，拜佛，總想數字多，沒有求內心的清淨。

佛者，覺也。覺的意思就是去掉，總認爲我念的數字愈多，佛加持我的力量愈大。念地藏王菩薩聖號一萬聲不行，十萬聲不行，那就念一百萬聲，這個裡頭有折扣的。我念這十萬裡頭有很多妄想，我念一百萬裡頭也有妄想，那麼把這一百萬折成了十萬清淨念，十萬折成了一萬清淨念，一萬折成了一千清淨念，一千折成了一百，該有了吧！一百也沒有，十聲都可以，有一聲清淨念都不可思議，這是以多蓋少的意思。

貪欲的要求很多，眞正的般若智慧，就徹底斷了，究竟清淨。但是現在還不行，因為要對治這個貪欲。當你離開這個染濁，善根成熟了。所以你前際的輪轉五趣，沒在生死河裡邊，是因為貪欲的緣故，這是生死根本。

《大集十輪經》上所說的十輪，都是平等的，雜穢語就是綺語，戒制的本來很輕，沒有事，就算是站在那兒說句閒話，一句閒話裡頭就含著有是非。你到佛堂裡道友一見著，總是這個對，那個不對，議論別人，那就是兩舌。或者誰也沒有議論，就在這兒擺擺。擺擺不合乎法，不合乎義，跟佛法無關的事，都叫雜穢語，這個錯誤容易犯。

實際上我們最難斷的是貪欲，因為你離貪欲了，身心安樂，其心清淨，離諸染濁，將命終時，身心不為憂苦所逼切，所愛的妻子眷屬圍繞。在臨命終時，你也看不見閻王差的小鬼，勾魂使者黑白無常，不會來的。「唯見可意」，心意高興的，都能見得著。不高興的、不喜歡的，見不到。

「復遇可意成調善法具戒富德眞實福田為善知識，依彼學習，離貪欲法」。這是學習的，跟善知識學離貪欲法，也能夠斷一切惡不善法，能成一切殊勝善法，能求一切大乘法義，能修一切菩薩願行，漸次趣入深廣智海。只有《大集十輪經》是這樣說，其他經論就不是這樣的涵義。

貪欲是根本煩惱，那比離穢語，麤惡語，還嚴重得多。殺盜婬，這只是現生，貪都包括了。十業是以貪欲爲根本，你想所有說雜穢語的，說慣了，說慣了就成爲習氣。他貪欲的習氣，他順口到那兒一站著，沒有事，他就要說。有些人，他的話多，沒人跟他說，他自己在屋裡還是跟自己說，這個事是有的。我們所說這類人，就說鬼話。怎麼說鬼話呢？沒人跟他說，他自己要說。尤其是老太太年紀老了，特別囉嗦，你聽她一天都在說話，這是根本習氣。

《大集十輪經》平等對待十惡業，文字都是一樣子的，別的經不會這樣說。他是說十惡輪，十惡業的惡輪。而十善業的善輪，他就把前面名字全標了，說一遍就可以。這部經爲什麼說了一遍又說一遍，說一遍、十遍都如是，這是怕你不注意。這是佛的大慈心。

如果是給佛學院的學生講課，是不能這樣講的。在佛學院講課就是講義理，很少講經。講義理的時候多，講經的時候少。講論，〈攝大乘論〉、〈現觀莊嚴論〉、〈大乘起信論〉、〈大智度論〉、〈瑜伽師地論〉，講論不講經，很少講經。經是教你做，論是辨論，是開智慧的。佛學院是學知，禪堂就不成。禪堂，你少說話，你參就好了。念佛堂，你也少說話，只念阿彌陀佛就好了。學戒的一天當中就做羯磨，把這個戒相擺著，每天學習，你怎麼能保持清淨戒。一個叢林裡頭，一個大廟裡頭，除了學戒堂、念佛堂、禪堂、學堂，還有個如意寮。你要是害怕的時候就進如意寮。

《十輪經》上講，這是專為這個大集會講的，這個法會是從菩薩到凡夫都有，很多的凡夫犯了這個錯誤的。所以佛囑託又囑託，囑託又囑託，一般情形，佛囑託三遍就可以，《大集十輪經》是十遍，同類的語言，同類的話，他都是平等的，所以我們重複，就是這個涵義。

是不是說十遍就記住了呢？心不在焉，一百遍，也還如是。學法得學到心裡，這是照鏡子，你照照，這十輪我有幾個？有的全有，有的我只有兩三個。那你就是善知識。若知道你的業障不重，你自己可以對照一下，這段文字全是同的，所以前面講兩遍，以後就不講了。

說「能成一切殊勝善法，能求一切大乘法義，能修一切菩薩願行，漸次趣入深廣智海，乃至證得無上菩提。」所居的佛土？「地平如掌，衆寶充滿，種種寶樹，行列莊嚴，種種寶衣寶莊嚴具寶幢幡蓋，金銀眞珠羅網等樹，處處皆有。」這就是極樂世界，淨佛國土都是這樣子。「甚可愛樂」，你還貪什麼呢？因爲你必須離了貪欲，摧毀這個貪欲輪，之後，你才能得到這個果報。

「遠離憍慢，顏貌端嚴，諸根無缺，其心平等。如是有情來生其國。」這個國土的衆生都是這樣子，沒有憍慢的。每個人的相貌差不多，也沒有怎麼醜的，都是顏貌端正的。美麗有幾種，有德者的美麗，誰見到她都恆存恭敬心，沒有輕慢心，沒有侮辱心。說她有德，過去我們說的大家閨秀，她有福德，也很端莊，也很美麗。但是她跟妓女的美麗，絕不可同日而語，沒有人會對她生起輕慢心。

地藏王菩薩以前做婆羅門女也好，做光目女也好，誰見到她都生恭敬，連鬼見到她，都生起恭敬心，這是德。要是我們見著觀世音菩薩，跟見著一位美女，兩個絕對不同。我們見著觀世音菩薩，不論你信佛的不信佛的，對她都產生恭敬心，沒有懈慢心；我還不說佛菩薩，就說天人，媽祖是個女孩子，祖廟在福建蒲田，這幾個縣的媽祖相，畫的很美麗，沒有人敢對她起輕慢心。

還有個故事，九天玄女娘娘廟，殷紂王到那廟裡進香，九天玄女的像塑的太好了，他生起污染心，生起貪欲心，那個神會有憤怒，菩薩就沒有。九天玄女就派了九尾狐狸精，九尾狐狸精變成妲姬，一念間就把江山葬送了。

有德的人，他的功德圓滿。所以講六根全，「顏貌端嚴，諸根無缺，其心平等」，涵義就在這裡，就是因為無貪欲了。這是他的德，他所生的國土，都沒有貪欲的功德，是「圓滿莊嚴」的。沒有貪欲的功德，無貪欲本身就是功德，無雜穢語本身就是功德。這個佛國土的如來，壽命無量。這十輪的所有如來國土都是壽命無量，不是報身，是化身。「為諸有情如應說法，般涅槃後，正法久住。」也沒有像法、末法，「利益安樂無量有情。善男子，是名菩薩摩訶薩第八遠離貪欲輪也。」

「菩薩摩訶薩成就此輪故，於聲聞乘得無誤失，於聲聞乘補特伽羅得無誤失，於獨覺乘得無誤失，於獨覺乘補特伽羅得無誤失，於其大乘得無誤失，於其大乘補特伽羅得無誤失，常能熾然三寶種性。於諸如來出家弟子，若是法器若非法器，下至一切被片袈裟剃鬚髮者，得無誤失。於大乘法常得昇進無有退轉，利慧勝福常得增長。於一切定諸陀羅尼諸忍諸地速得自在無有退轉，常得值遇諸善知識隨順而行，常得不離見一切佛及諸菩薩聲聞弟子，不離聞法，不離親近供養眾僧。於諸善根常精進求心無厭足，常於菩提種種行願心無厭足，所得果報廣說如前。」

這裡只講了離貪欲輪，後面還有兩輪。

「復次善男子，若菩薩摩訶薩，能盡形壽遠離瞋恚，一切眾生常所愛重，其心清淨，離諸垢穢。由此善根速得成熟，所有前際輪轉五趣沒生死河，因瞋恚故，造身語意諸惡業障，諸煩惱障，諸有情障，一切法障，諸無明障，自作教他，見聞隨喜，由此遠離瞋恚輪故，皆悉輾壞，摧滅無餘，不受果報。於現身中，諸人天等皆共親愛，無所猜慮，其心清淨，離諸垢穢。將命終時，身心不爲憂苦逼切，所愛妻子眷屬圍繞。臨命終時，不見可怖剋魔王使，唯見可意成調善法具戒富德眞實福田爲善知識，身心歡悅，深生敬信。既命終已，還生人中，諸根圓滿，肢體具足，隨所生處，其心清淨，離諸垢穢，端正聰明，安隱快樂。」

這段經文就多了一句，摧毀「諸無明障」，瞋恨有大有小。瞋恚，有的人要是發脾氣，一怒，好多人民就遭殃了。像國王、大臣、將軍，一念之差，他會造很多的業。像秦將白起，秦國跟趙國打仗，他一虜趙國長平戰俘四十萬人，他都把他們挖坑活埋了，他本身的果報，受不盡的。

在上海有一年報紙登載著，在豬肚皮底下，有一個紅的名字，叫白起，佛菩薩就是在示儆。還有姓程的，這名字我們不說他，他是當過專員的，讓他去放賑，他呑沒了幾萬兩的白銀，他也變豬了。那一胎生下有三個小豬，底下都有名字，一個白起，一個叫姓程的，還有其他的也是上海地區的人。這是業報，在那個肚皮底下，紅顏色的名字，清清楚楚寫的是白起。這是什麼呢？這就是果報。上海報紙就公開登了，以這個來教育人。

從那個時候到現在好多年了，這個時間還是很短，他要受報的。一戰功成萬骨枯，不只萬骨，有四十萬人，歷來的記載，無論什麼地方，不殺降卒，投降就算了，放下武器就算了。他用欺騙的手段把他們都活埋，事實上若人家要是眞的拼命，也很難得打。騙了之後，放下武器，他挖坑把他們都活埋了，他當然有種種的業。

我還記得有首詩，「烏鴉失其母」，烏鴉死的時候，老烏鴉死了，這個小烏鴉就是烏鴉失其母，「經年守故林」，就是過去的在樹林子裡，「夜夜不離去，唯報念母恩。」每夜它都那麼叫，不肯飛走。「昔有吳起者」，有個吳起者，不是　起，「母喪墓不臨」，母親死了，他連那個墓地看都不看去。「嗟歎斯徒輩，其心不如禽。」就是人跟禽獸一起比，有時人還不異於禽獸。

我待在監獄時有位醫生，他親生的兒子，姦污他媽媽，判了十八年。在過去的時候，這是五馬分屍的，或者五牛分屍的，這叫大逆罪，禽獸不如。馬絕不跟母馬交配，還有羊它要吃乳的時候，一定跪下，跪著吃乳，這是報恩。

講這個惡業，隨便雜著就是煩惱，煩惱就是貪心，瞋恨心。我們佛教最注重瞋恨心，你所有累積的功德，「一念瞋恨起，燒毀功德林。」一發個脾氣，你認為只是發發火而已，特別要對治瞋恨心，它能給你引來很多的禍患。瞋恨心，你認為發個脾氣沒有關係，家庭往往就因為那麼一個發脾氣，兩個發脾氣，夫妻間不和，或者現在是互相仇殺，家庭破裂。一念瞋恨心的關係，著重的說這麼一點，當作大家的參考，其他的跟前文都是一樣的。

這是講這個瞋恚輪。你看著人家發脾氣，看人家打架，很多人會看熱鬧，這個熱鬧是看不得的，你要看，說不定誤傷，就把你打到，不要看熱鬧。

「復遇可意成調善法具戒富德眞實福田為善知識，依彼修學離瞋恚法，能斷一切惡不善法，能成一切殊勝善法，能求一切大乘法義，能修一切菩薩願行，漸次趣入深廣智海，乃至證得無上菩提。所居佛土，遠離一切濁穢風雲鬱烝塵垢，諸麤弊物，眾寶莊嚴，甚可愛樂，遠離憍慢，顏貌端嚴，諸根無缺，心常寂定，如是有情來生其國，慈悲功德圓滿莊嚴，如來自身壽命無量，爲諸有情如應說法，般涅槃後，正法久住，利益安樂無量有情。善男子，是名菩薩摩訶薩第九遠離瞋恚輪也。」

「復遇可意成調善法具戒富德眞實福田爲善知識」，依這個善知識「修學離瞋恚法」，要想離瞋恚法，怎麼辦呢？要忍辱。根據你平日的鍛鍊，即將生氣了，你就到佛堂。或者沒有佛堂的時候，你自己要打坐，靜坐下來，念佛也好，念經也好。念一念，你心裡就清涼了，那個火就降下去了。在發氣的時候，千萬不要處理事情，當你心裡不愉快的時候，也不要答應什麼事情，你一定要克服。你這樣慢慢鍛鍊，這也是修行。

一忍再忍，張公百忍，寫一個忍字忍不下去，再寫一個，還是忍不下去，又寫一個，必須得忍。忍很不容易，在心上加把刃，那個好痛苦。忍就有那麼大力量，生起了特別煩惱的時候，你會造業，這還不只你的身子造業。心裡起了，就發於口罵人，罵極了要打，打完要動刀。或者動槍，帶了命債了，把你關監牢獄去了，你後悔也不及了，還要償命。一定要忍，每一個輪都是這樣子，不過這瞋輪，特別說多一點，你想離開很不容易，發脾氣慣了的人，很不容易離開。

還有，隨著發脾氣，心裡就是不高興，這在家庭裡頭特別容易產生。你不高興那個孩子，你一天把嘴擱到他身上，他怎麼動作，你馬上就說他，責備他，這樣子，就算是親生兒子也會反目成仇。或者長大了，他離開你，或者他還要報復，我看見很多報復的例子。話不要太多，當別人錯誤了，不要發脾氣，要原諒別人。你經常這樣想，一回兩回是不行，次數多了，漸漸就好了。因爲人家不是你，就算是自己生的，也不是你的心，你想的跟他想的不同，這個一定要忍。這樣就是要學習離瞋恚法，能修一切菩薩的願行，漸次趣入深廣智海，乃至證得無上菩提所居的佛土。

「遠離一切濁穢風雲鬱烝塵垢，諸麤弊物，衆寶莊嚴，甚可愛樂。」這是環保衛生的問題，濁穢，混濁，特別是水的污染。那風一吹，它飄到空中去了，空中變了黑雲，凡是黑色的顏色，就夾雜著不淨物。蒸，就是陽光一出，一蒸晒的時候，它就化了，化了它又落到地上，就變成這個麤弊物。這個麤弊物，如果是引到水，或者食物當中，也容易中毒。那冤結的氣，比什麼毒都厲害，就是我們剛才說的憤怒、怨毒；怨毒，誰見都怕。如果這個國土，大規模屠殺人民，像大戰場，一死幾萬人、幾十萬人，這種怨氣升到空中來凝結成為一種怨氣，誰要是經過這裡，如果不躲，觸上了，連神仙也沒有辦法。

衆生的怨毒，非常的厲害，很多的佛經就研究這個東西，說這個怨毒比別的要重得多。所以他把這個鬱結起來塵垢諸弊塵物轉化了，就變成了「衆寶莊嚴，甚可愛樂」。「遠離憍慢，顏貌莊嚴，諸根無缺，心常寂定。」加個寂定，心裡常時安靜，常時寂定，不散亂，不煩燥才定得下來。我們心裡爲什麼會煩燥呢？雖然沒有發脾氣，那個根子在裡頭，它煩燥，要發火，發不出來。或者克制它發不出來，它在裡頭就不安逸，不舒服。

所以心要常寂定，不煩燥，不熱惱。他的國土是這樣子，凡是心常寂定的人，遠離憍慢，這些人就生到這個國土來，都是「慈悲功德圓滿莊嚴」。反過來，不瞋恨，就是慈悲。所以對一切衆生都要慈悲，修慈悲觀的人不會發脾氣的，也不會發火的。

還有一種是菩薩現的，你的脾氣大，我比你的脾氣更大。你再鬧，我殺了你。觀世音菩薩在漢地是很慈悲的，在西藏不是這樣子，他現的像魔王一樣的，馬頭金剛，大明金剛，現的很多金剛相，金剛相是很兇的。這是眞正慈悲，降伏他的煩惱。要降伏他的煩惱，我們做不到！我們只能夠忍耐一下，我們還沒有那個功力。

「菩薩摩訶薩成就此輪故，於聲聞乘得無誤失，於聲聞乘補特伽羅得無誤失，於獨覺乘得無誤失，於獨覺乘補特伽羅得無誤失，於其大乘得無誤失，於其大乘補特伽羅得無誤失，常能熾然三寶種性。於諸如來出家弟子，若是法器若非法器，下至一切被片袈裟剃鬚髮者，得無誤失。於大乘法常得昇進無有退轉，利慧勝福常得增長。於一切定諸陀羅尼諸忍諸地速得自在無有退轉，常得值遇諸善知識隨順而行，常得不離見一切佛及諸菩薩聲聞弟子，不離聞法，不離親近供養眾僧。於諸善根常精進求心無厭足，常於菩提種種行願心無厭足，所得果報廣說如前。」

學三乘法的人，學三乘法的法，如果法、人都無誤失，就是不錯謬。如應說法，常能夠熾然三寶的種性。諸如來的出家弟子，不論是那個佛國土的，這大多是說我們這個國土的。「若是法器，若非法器」，極樂世界沒有非法器的，當然是指是這個。凡是跟我們相類似的國土，「下至一切批片袈裟，剃鬚髮者，得無誤失」，不但三乘得無誤失，乃至於被一片袈裟，一定有他的善根，一定有他的因緣，要觀察他的過去。

「復次善男子，若菩薩摩訶薩能盡形壽遠離邪見，一切眾生常所愛重，其心清淨，離邪分別。由此善根速得成熟，所有前際輪轉五趣沒生死河，因邪見故，造身語意諸惡業障，諸煩惱障，諸有情障，一切法障，諸正見障，自作教他，見聞隨喜，由此遠離邪見輪故，皆悉輾壞，摧滅無餘，不受果報。於現身中，諸人天等皆共親愛，無所猜慮，身心安樂，其心清淨，離邪分別。將命終時，身心不爲憂苦逼切，所愛妻子眷屬圍繞。臨命終時，不見可怖剡魔王使，唯見可意成調善法具戒富德眞實福田爲善知識，身心歡悅，深生敬信。

既命終已，還生人中，諸根圓滿，肢體具足，隨所生處，其心清淨，離邪分別，端正聰明，安隱快樂。」

「復次善男子，若菩薩摩訶薩能盡形壽遠離邪見。」就是愚癡，癡也是無明。沒有智慧的人，他就會產生邪見。佛說破了見的人不能救度。見者，就是執著。有些人，他執著不捨，你跟他說善法，他沒辦法聽進去。

邪知邪見，如果因爲他得了天眼通，看見牛生天，他說做牛最好，死後可以生天。他不曉得這頭牛的前生如何，他不知道因果，他的神通，只見現生，見不到八萬大劫，更見不到無量大劫。他只看見眼前，就說牛的功德大，所以，他天天給牛叩頭，他是不信佛的。面對佛像他不叩頭，卻可以給牛叩頭。

印度加爾各答，我去的時候就有那麼一條街，那頭牛可能有一千磅，大的不得了，比我們那個牛都大好幾倍，那牛腦殼掛的珠子，穿的各種顏色的花布，還有拿金絲繡的球，掛在牛身上。那牛就在街上這樣走，走到那個家裡去，那個家裡頭大概飲食吃飽了，就拿點最好的水，給牠喝，這一個街道都是信奉牛的。如果你不知道，或者去衝撞那頭牛，那不得了，這個街上的人會跟你拼命。

我去的時候是一九四零年，二次大戰還沒有結束，那時印度沒有獨立，還是英國統治的。英國人也不敢惹這頭牛，他感覺惹了可就麻煩了。他如果開車經過那街道，他會繞著街道走，不走那街道。要是非走那街道不可，他得下來，那車子慢慢兒開，等那牛走過了，有路了才能開。牛還沒有走過，你不能要求牠走開，這是信奉外道的邪知邪見，沒有辦法。

我們要現實一點，在我們這國土裡，信邪知邪見的太多了。這個世界有多少億人，都是信邪知邪見的，正知正見的，相對的很少。大陸十三億人有好多的正知正見呢？包括比丘、比丘尼在內，正知正見的人還是很少的。

但是在十輪中，以一般的邪見說，都一樣，就是愚癡，貪、瞋、癡，就是那個癡。我們一天看到什麼事不正確，判斷錯誤，這都是愚癡。不能夠了解諸法緣起性空，就是愚癡。一切諸法是由緣起性空生起的，要想回歸就是緣起性空，這是學佛的時候最根本的，那個就能斷你的邪見。如果是遠離了邪見輪，你所得的果報成熟了，遠離邪見輪了。

邪分別，如果沒有定力，沒有智慧，你心裡思慮所分別的是邪知邪見。這個邪知邪見，並不是說外道的邪知邪見。而是你心裡，凡是不安樂的，凡是不清淨的，都屬於邪知邪見；更深一點，未見過法性的，心遊道外，心到了菩提道之外了，想念的不是菩提道，這都叫邪見。這個所說的就是沒有依照佛的教導，不能夠斷苦集滅道，不能依四諦法修，不能依十二因緣法修，不能依六度法修，這都叫邪見。

要是遠離了邪分別，在思慮當中，不生起邪見，都依著正見，依著佛的教導去做，那麼離了邪分別，有什麼好結果呢？命終的時候，你的身心不會憂苦逼切。「所愛妻子眷屬圍繞，臨命終時，不見可怖焬魔王使」，唯見可意的成調善法具戒的富德的具戒富德眞實福田，給你作善知識。「身心歡悅，深生敬信。」這樣安安逸逸的轉世去了，命終之後，又來到人中。

「復遇可意成調善法具戒富德眞實福田爲善知識，依彼修學離邪見法，能斷一切惡不善法，能成一切殊勝善法，能求一切大乘法義，能修一切菩薩願行，漸次趣入大乘大海，乃至證得無上菩提。所居佛土，遠離一切聲聞獨覺二乘人法，遠離一切天魔徒眾，遠離一切外道朋黨，眾寶莊嚴，甚可愛樂，遠離一切妄執吉凶，常見斷見，我我所見，如是有情來生其國，壽命長遠，受用一味，謂大乘味，如來自身，壽命無量，爲諸有情，如應說法，般涅槃後，正法久住，利益安樂，無量有情，聖教一味，無有乖諍，熾盛流通，離諸障難。善男子，是名菩薩摩訶薩第十遠離邪見輪也。」

「復遇可意成調善法具戒富德眞實福田，爲善知識」，依止這位善知識，修學怎樣離邪見，怎樣修這個法門，「能斷一切惡不善法，能成一切殊勝善法，能求一切大乘法義，能修一切菩薩願行，漸次趣入大乘大海，乃至證得無上菩提。」那麼他所居的佛國土，「遠離一切聲聞獨覺二乘人法，遠離一切天魔徒衆，遠離一切外道朋黨，衆寶莊嚴，甚可愛樂。」只有這個離邪見輪，才說遠離一切聲聞獨覺二乘法，其他九輪都沒有，這才叫正見。

因爲這是講邪見的，「遠離一切妄執吉凶，常見斷見，我我所見，如是有情來生其國」，生到這個佛國土的，那不是一般的，得遠離一切邪見的天魔徒衆。他要遠離一切的妄執吉凶。我們要想生極樂世界，你還想算個命，打個卦？《占察經》不同，你要用占察輪，問：「我能生到極樂世界不呢？」你占一下，地藏占察輪說，你要想生到極樂世界，還得用功。說你可以能生得到，那你就有把握了，就更加用功了。但是占到這個機會是很少的。

那個占察輪，很少會現到說：「你能生」。但是你要是問你過去從那一道來的，死後到那一道去，占察輪會正確答覆你。你要是生起恐怖了，到了三惡道，你趕緊修。你不是天天擲嗎？天天拜，天天擲，拜到一定層次，三惡輪轉了，你就能生了。那個輪跟這個吉凶禍福不一樣，常見，斷見，我，我所見，我見，全部都包括在邪見裡頭，遠離這些妄執吉凶禍福，吉凶禍福不是定論，隨時可以轉變的。

特別是三寶弟子，學道者，隨時都在轉變的。人的相貌隨時在變，如果你注意觀察這人的相貌，一天當中會變化幾次，要是隔幾天你去看他，相貌又變了。你看見這人很厭煩，面貌可憎，言語無味，你隔兩天再去看他，你會生起歡喜心，那是他有修爲。現在一個人他如果打一個七，念幾天佛，念到相應的時候，相貌馬上就變。變，不是世間上臉紅，或者臉白，或者好看，不是那個。他有一種道德使你感應，使你心歡喜。你看那個老和尚、老喇嘛，樣子很醜，很髒，你見著就生起恭敬心，對他特別恭敬，這就是他的德。

要離開一切，離開常見、斷見。常見指是常，總想不死，死了之後還來人間，不相信有地獄，餓鬼，畜生。那就是邪見。生了之後，我一定生天，生哪天呢？生到天主那兒去了，生到梵天。他們跟天主、梵天，還有點兒隔閡，他沒有去當大梵天主，只能夠當到天民。這都是屬於不正確的見。常見，斷見，或者我見，我執我見，我所見，我所見就我所執著的物質，或者是人，我所見，我見跟我所見是兩個。我是能見的，我所見是我所見的。如是的有情來生其國，這個國土沒有邪見者，而「壽命長遠，受用一味」，受用一味，什麼味呢？大乘味。「如來自身，壽命無量，爲諸有情，如應說法，般涅槃後，正法久住，利益安樂，無量有情，聖教一味。」這個不同，前面是如應說法，這個就不同，佛所教導的一味，沒有大乘的爭議，沒有聲聞乘、獨覺乘的爭議。三寶的種性都是大乘。「熾盛流通」，都是菩薩，一切障礙都沒有了。「善男子，是名菩薩摩訶薩第十遠離邪見輪」。

「菩薩摩訶薩成就此輪故，於聲聞乘得無誤失，於聲聞乘補特伽羅得無誤失，於獨覺乘得無誤失，於獨覺乘補特伽羅得無誤失，於其大乘得無誤失，於其大乘補特伽羅得無誤失，常能熾然三寶種性。於諸如來出家弟子，若是法器若非法器，下至一切被片袈裟剃鬚髮者，得無誤失。於大乘法常得昇進無有退轉，利慧勝福常得增長。於一切定諸陀羅尼諸忍諸地速得自在無有退轉，常得值遇諸善知識隨順而行，常得不離見一切佛及諸菩薩聲聞弟子，不離聞法，不離親近供養衆僧。於諸善根常精進求心無厭足，常於菩提種種行願六波羅蜜多心無厭足，所得果報廣說如前。」

「善男子，若菩薩摩訶薩成就如是十輪，能速證得阿耨多羅三藐三菩提。所以者何？於過去世一切如來應正等覺，皆悉遠離十惡業道，皆悉稱揚讚歎如是十善業道所得果報，爲欲長養一切衆生利益安樂菩提道故，爲欲除滅一切衆生業煩惱苦令無餘故，爲欲枯竭三惡趣故，爲欲紹隆三寶種故，爲欲斷除三界有故，爲欲永斷蘊界處故，爲令一切速入無畏涅槃城故，廣說如前遠離十種不善業道，所得果報。是故善男子，若不眞實希求如是十善業道所證佛果，及不眞實下至守護一善業道，乃至命終，而自稱言：我是眞實行大乘者，我求無上正等菩提。當知如是補特伽羅，是極虛詐，是大妄語，對十方界佛世尊前，誑惑世間，無慚無愧，說空斷見，誘誑愚癡，身壞命終，墮諸惡趣。」

這是總說。過去的諸佛能夠成就十輪，菩薩摩訶薩很快就證得阿耨多羅三藐三菩提，爲什麼要這樣說呢？因爲一切如來之所以能夠成佛，成到正覺，就是遠離十惡業了。那麼，皆悉稱揚讚歎如是十善業道所得的果報。「爲欲長養一切衆生，利益安樂菩提道故。」使衆生的菩提道能得到長養，逐漸的成長，逐漸的養育。

「爲欲除滅一切衆生業，煩惱苦令無餘故。」業是惑，業是你所造的業，煩惱是惑，苦是果；因爲煩惱而造業，因爲造業了而得到苦果。那麼，令無餘故，清淨惑業苦三種，使其清淨。同時，使三惡趣枯竭，爲欲枯竭三惡趣，這樣才能夠紹隆三寶種。紹是繼承，隆是光大，不但繼承下來，還把以前的佛法僧三寶種性發揚光大，「爲欲斷除三界有故」，三界是有生死的，有煩惱的，有苦惱的，有業的，把它斷絕。還要斷絕了，永斷五蘊、十八界、十二處。「爲令一切速入無畏涅槃城故，廣說如前遠離十種不善業道，所得果報」，說完了，再總結一下。前面的一輪一輪都說過了。

「是故善男子，若不眞實希求如是十善業道所證佛果，及不眞實下至守護一善業道。」這是說，你連一善業道都不能眞實去守，「乃至命終」，沒有這樣去做，說瞎話，「而自稱言：我是眞實行大乘者」，十善業道，你連一道都沒有去做，還說自己是眞實行大乘的，或者說自己是求無上正等菩提的，這個說法的補特伽羅，「是極虛詐」，虛僞詐騙，「是大妄語」者，這就是大妄語。「對十方界佛世尊前，誑惑世間，無慚無愧，說空斷見。」這個空斷見，拿什麼來標準呢？十善業。以這個來「誘誑愚癡」，欺騙引誘，誑那個沒有智慧的，乃至於說這樣做、這樣說，你就是最愚癡的。他自己說，如果「身壞命終」，直接的墮惡趣如射箭，到惡趣去。

「善男子，若但言說，及但聽聞，不由修行十善業道能得菩提般涅槃者。於一劫中，或一念頃，可令十方一切佛土地界微塵算數眾生，皆登正覺，入般涅槃，然無是事。所以者何？十善業道，是大乘本，是菩提因，是證涅槃堅固梯隥善男子，若但發心，發誓願力，不由修行十善業道能得菩提般涅槃者。於一劫中，或一念頃，可令十方一切佛土地界微塵算數眾生，皆登正覺，入般涅槃，然無是事。何以者何？十善業道，是世出世殊勝果報功德根本。善男子，若不修行十善業道，設經十方一切佛土微塵數劫，自號大乘，或說或聽，或但發心，或發誓願，終不能證菩提涅槃，亦不令他脫生死苦。善男子，要由修行十善業道，世間方有諸剎帝利婆羅門等大富貴族，四天王天，乃至非想非非想處，或聲聞乘，或獨覺乘，乃至無上正等菩提，皆由修行十善業道品類差別。」

「善男子，若但言說，及但聽聞，不由修行十善業道能得菩提般涅槃者」，這是不可能的事。假使這麼說，若只是言說、聽聞，不經由修行十善業道而能夠證得菩提，證得涅槃，這是不可能的。或者是「於一劫中」，這樣聽到的。或者一念頃，那麼，「可令十方一切佛土地界微塵算數衆生，皆登正覺，入般涅槃，然無是事。」像這種說法不可能做到，換句話說，要是不行十善業，你說什麼都是不可能的。

修大樓要是建立在沙灘上的，會倒塌的，十善業才是一切的根本。爲什麼要這樣說呢？十善業是大乘本，「是菩提因，是證涅槃堅固梯隥」，就是上台階的隥子似，一隥一隥，是梯子，而十善業是梯隥。「若但發心，發誓願力，不由修行十善業道能得菩提般涅槃者。於一劫中，或一念頃，可令十方一切佛土地界微塵算數衆生，皆登正覺，入般涅槃，然無是事。」這只是說大話，說空話，這叫假的，空的。反過來說，都是由於修行十善業道，才是殊勝的勝果。

「然無是事，所以者何？十善業道，是世出世殊勝果報功德根本。善男子，若不修行十善業道，設經十方一切佛土微塵數劫」，時間太長了，經過十方微塵數，把十方的佛國土磨成微塵，一塵算一劫，這有好多久？經過這麼長的時間，就是那說大話的，自稱大乘，或者是聽來的，或者自己說，或者單發心，單發誓願要成佛，那還不能夠證菩提果，不但自己不能證，你想令他人脫生死苦，能做到嗎？不可能。

善男子，因爲修行十善業道故，所以世間上還有刹帝利國王，還有婆羅門，學者，還有大富貴族。富貴人怎麼來的？修十善業道。還有四天王天，「乃至非想非非想處」，所有一切天衆，或者聲聞乘，或者是獨覺乘，「乃至無上正等菩提，皆由修行十善業道品類差別。」那個層次不同，果位的不同，乃至人天的果報不同，乃至聖人的果報不同，這是修十善業，看你怎麼樣修。

修的方法不同，所證得的地位不同。但是必須得修十善業，才能有人天的富貴，乃至於證果的聲聞，緣覺，菩薩，乃至於成佛，否則絕對達不到的。

「是故善男子，若欲速滿無上正等菩提願者，當修如是十善業道以自莊嚴，非住十惡不律儀者能滿如是無上正等菩提大願。若求速悟大乘境界，速證無上正等菩提，速滿一切善法願者，先應護持十善業道。所以者何？十善業道，是能安立一切善法功德根本，是世出世勝果報因，是故應修十善業道。」

已經發了菩提願，要想滿你這個願，「當修如是十善業道以自莊嚴」，這才能夠做得到，莊嚴你自己，不是住十惡。「不律儀者能滿如是無上正等菩提大願」，不行十善道就是十惡。「若求速悟大乘境界，速證無上正等菩提，速滿一切善法願者，先應護持十善業道」，這是一切諸法的根本。「所以者何？」「十善業道，是能安立一切善法功德根本，是世出世勝果報因」，要想得殊勝的果報，十善業道就是他的因。你修的深入，就證果了。「是故應修十善業道」，佛說了十遍還怕眾生忘了。

所以又重頌此義，前面說了十遍，佛還不放心。所以佛說哪一法，最後囑託這個菩薩，囑託那個菩薩，末法的時候，弟子們不信，你們一定負責把他們度了。這部經是託虛空藏菩薩，有的經是託文殊菩薩，有的經是託彌勒菩薩。彌勒菩薩是接他的班的，他跟彌勒菩薩說的最多。所以，該彌勒菩薩成佛時，龍華三會，把末法的眾生，一個不剩都度了。彌勒菩薩發了願，他要去度。

「爾時世尊重顯此義而說頌曰：

欲除諸有苦　證得大菩提　應修十善輪　精勤勿放逸
便於三乘法　及補特伽羅　一切出家人　皆得無誤失
信受行大乘　利樂一切眾　覺勝法淨土　速證大菩提
若離於殺生　一切皆愛敬　恆無病長壽　常樂不害法
一切所生處　恆樂佛所行　常遇佛法僧　速成無上覺」

這個道理，佛雖然說了十遍，還是不放心。最後又說個偈頌，再重複一下子，再囑託一下。特別是十善業，「欲除諸有苦，證得大菩提，應修十善輪，精勤勿放逸。」你要想除一切苦，要想證得佛果，你應修十善業道輪，要精勤的修，不要放逸。

「便於三乘法，及補特伽羅」，對三乘的聲聞、獨覺、大乘，，乃至有補特伽羅，你對他們的教導才能無差誤。

「一切出家人，皆得無誤失」，不管他破戒也好，犯戒也好，乃至被一片袈裟的，你不要處理，就是那樣子。你不能責罰、不能打罵，不能繫閉他們。

「信受行大乘，利樂一切衆，覺勝法淨土，速證大菩提。若離於殺生，一切皆愛敬。」你要是眞正信奉大乘的人，利樂一切衆生，你想覺悟了，要成就一個清淨的清淨土，很快就可以證得大菩提。

我們想修道，先要有一間精舍，有間閉關的關房，佛要想成佛，自己都要有個佛土，不論哪個佛，他自己先發願，建立一個國土，懂得這個意思！琉璃光如來世界是那樣子，阿彌陀佛世界是那樣子，不動如來是那樣子，多寶如來世界是那樣子，每個佛的國土都不一樣。

要想修道，要有一間小茅蓬，住山洞，都要有個洞，不然什麼都沒有。所以一切諸佛要想修個佛淨土，證大菩提，第一個要離殺生。離了殺生，一切皆愛敬，你又沒病又長壽，常時歡樂，喜歡不害法，不惱害衆生。

殺生包括的很多，狗在那兒趴著，你要走，你認爲牠擋道了；或者拿石頭砸牠一下子，或者拿腳踢，這就叫惱害衆生。你可以在那兒轉了繞著走一下，別認爲衆生阻礙了你的事，你不要妨害一切衆生。爲什麼你走路時候要注意看，螞蟻堆上不要踩，因爲那上面有蟲子，你要注意不要把它踩死了。小孩子有時他看踩死別的衆生，他認爲是好玩；捉拿小麻雀，乃至惱害一切衆生，拿熱水燙螞蟻洞，或者灶上有蟑螂，你拿開水澆它一下。它們雖然都死了，你都要還債的，那叫惱害衆生，大乘果是很不容易證到。

「一切所生處，恆樂佛所行」，不管生到什麼地方，佛怎麼做的，自己怎麼做。這樣呢？你就常遇佛法僧，速成無上覺。

「若離不與取　智者皆愛敬　滅貪所生業　獲無貪所生
生生常巨富　能爲大施主　得衆寶莊嚴　可愛淨佛國
若離欲邪行　滅臭穢煩惱　枯竭貪愛河　速得淨佛國
拔諸衆生類　令出欲淤泥　安置於大乘　使勤修梵行

若離虛誑語　得聖自在智　常樂諦實言　滅虛妄眾苦
一言爲證量　常遇佛法僧　速得大菩提　勸修不妄語
若離離間語　成眾善法器　常遇佛法僧　不歸於斷滅
得聖無染著　陀羅尼寶藏　達深法海源　速成無上覺
若離麤惡語　常說柔軟言　眾生皆愛敬　滅先世罪業
令眾常歡悅　成菩薩導師　知諸佛所行　超過第十地
若離雜穢語　智者皆愛敬　爲他所發言　具獲五功德
常聽受聖言　恆欣求聖道　圓滿諸佛海　速得一切智」

「若離不與取，智者皆愛敬，滅貪所生業，獲無貪所生。」不偷人家的，這是智者所愛敬的。偷人是貪，就是貪所生，這是罪業的事。無貪，無貪所生就是淨土，無貪就「生生常巨富」，生生世世都有錢人，都變了大富長者。

貪、偷，不行了，愈來愈窮，愈沒有。愈是富有了，他愈能布施，愈是能布施，他愈積福。所以，他能夠成爲大施主。「得衆寶莊嚴」，可愛的淨佛國土，最後，生到淨佛國了。「若離欲邪行」，殺盜婬。

第三輪，「滅臭穢煩惱」。《楞嚴經》講的非常清楚，大家看阿難，他想讚佛的時候，佛問他怎麼樣看佛？他說，我是這樣看的，我對貪欲，是厭離的，但是不證果。沒證果就是貪欲的惑還未滅除，他怎麼說的？他是這樣說的：「濃穢雜亂，云何能生妙明紫金光聚？」男女所生的小孩子，父精母血，就是濃穢，濃血雜亂。云何能生妙明光聚，像佛的身上妙明紫金光聚。佛的身上是金色的，阿難不相信佛是從父母精血所生出來，這是功德身，不是那個所能生出來。所以，貪欲的不能生，懂得這個就行了。

所以要離欲邪行，那些臭穢煩惱所生的，「枯竭貪愛河，速得淨佛國，拔諸衆生類，令出欲淤泥，安置於大乘，使勤修梵行。」讓一切衆生都清淨梵行，不要太貪欲。

「若離虛誑語，得聖自在智，常樂諦實言，滅虛妄衆苦。」你要是離開虛妄，不欺騙人，就可以得到自在的智慧，自在的勝慧；你又喜歡如實的言語，如諦的言語，滅掉虛妄的苦。

「一言爲證量，常遇佛法僧，速得大菩提，勤修不妄語。若離離間語，成衆善法器，常遇佛法僧，不歸於斷滅，得聖無染著，陀羅尼寶藏，達深法海源，速成無上覺。」離間語，挑撥人家，挑撥離間，讓大家不能和合，你怎麼能遇到佛法僧呢？

所以你成不了道，要想成道，得聖無染，要想得到陀羅尼寶藏，你要「達深法海源，速成無上覺，若離麤惡語，常說柔軟言，衆生皆愛敬，滅先世罪業。令衆常歡悅，成菩薩導師，知諸佛所行，超過第十地。」

離麤誑語就有那麼大的功德。「若離雜穢語，智者皆愛敬，爲他所發言，具獲五功德。」這五功德就是〈淨土論〉所說的五種功德。

「若離於貪欲　不誹謗聖教　供養服袈裟　弘三乘聖道
當生淨佛國　導師之所居　乘於無上乘　速得最勝智
若離於瞋恚　一向修慈心　速疾證等持　樂眾聖行處
當生淨佛土　遠離諸過惡　住彼證菩提　令離諸瞋忿
若離於邪見　純修淨信心　樂開示三乘　亦供養諸佛
永脫諸惡趣　遇眾賢聖者　具諸菩薩德　逮得最上智
我說十善業　能趣勝菩提　生長諸等持　陀羅尼忍地
此輪大威德　能摧諸惡趣　破壞諸惡障　速證大菩提」

「若離於貪欲，不誹謗聖教，供養服袈裟」，傳袈裟衣，弘揚三乘的聖道，「當生淨佛國，導師之所居，乘於無上乘。」佛居的淨佛國土，是無上大乘。「速得最勝智。若離於瞋恚，一向修慈心，速疾證等持，樂衆聖行處。」要離瞋恚，離開貪，離開瞋，修慈悲觀，這樣才能成就佛果。

等持一切諸法，持無量義。「當生淨佛土，遠離諸過惡，住彼證菩提，令離諸瞋忿。若離於邪見，純修淨信心，樂開示三乘，亦供養諸佛。永脫諸惡趣，遇衆賢聖者，具諸菩薩德，逮得最上智。」這樣才能夠成就無上菩提。

「我說十善業，能趣勝菩提，生長諸等持，陀羅尼忍地。此輪大威德，能摧諸惡趣，破壞諸惡障，速證大菩提。」這是總說。十善輪就是成就勝菩提的因，能夠生長十無量法，這個就是陀羅尼。無量法就是等持，就是陀羅尼，就是三昧。陀羅尼忍地，十忍十地，此輪的威德，能夠摧壞一切的惡趣，破壞諸惡障，速證大菩提。

善業道品竟

國家圖書館出版品預行編目資料

地藏菩薩的懺悔法門：大乘大集地藏十輪經【懺悔品、善業道品】
第五冊/夢參老和尚主講；方廣編輯部整理．--初版．
--台北市；方廣文化，2054--　(民94)
　面：　　公分
ISBN 957-9451-97-1(平裝)
1.方等部
221.35　　94015311

地藏菩薩的懺悔法門

大乘大集地藏十輪經【懺悔品、善業道品 第五冊】

主講：上夢下參老和尚
錄音整理：梁國英、溫哥華地區道友、方廣編輯部
封面設計：大觀創意團隊
出　　版：方廣文化事業有限公司
住　　址：台北市大安區和平東路一段177-2號11樓
電　　話：(02)2392-0003　傳　真：(02)2391-9603
劃撥帳號：17623463　方廣文化事業有限公司
總 經 銷：聯合發行股份有限公司
電　　話：(02)2917-8022　傳　真：(02)2915-6275
出版日期：2020年5月　2版4刷（修訂）
定　　價：新台幣260元
行政院新聞局出版登記證：局版臺業字第六〇九〇號
網　　址：www.fangoan.com.tw
e-mail: fangoan@ms37.hinet.net

本書經夢參老和尚授權出版發行

如有缺頁、破損、倒裝請電：(02)2392-0003　　No：D507-5

方廣文化出版品目錄〈一〉

夢參老和尚系列
書 籍

● 八十華嚴講述

HP01 大乘起信論淺述 (八十華嚴導讀一)
H208 淺說華嚴大意 (八十華嚴導讀二)
H209 世主妙嚴品 (第一至三冊)
H210 如來現相品・普賢三昧品 (第四冊)
H211 世界成就品・華藏世界品・毘盧遮那品 (第五冊)
H212 如來名號品・四聖諦品・光明覺品 (第六冊)
H213 菩薩問明品 (第七冊)
H214 淨行品 (第八冊)
H215 賢首品 (第九冊)
H301 升須彌山頂品・須彌頂上偈讚品・十住品 (第十冊)
H302 梵行品・初發心功德品・明法品 (第十一冊)

● 華 嚴

H203 華嚴經淨行品講述
H324 華嚴經梵行品新講 (增訂版)
H205 華嚴經普賢行願品講述
H206 華嚴經疏論導讀
H255 華嚴經普賢行願品大意

● 天 台

T305A 妙法蓮華經導讀

● 楞 嚴

LY01 淺說五十種禪定陰魔—《楞嚴經》五十陰魔章
L345 楞嚴經淺釋 (全套三冊)

方廣文化出版品目錄〈二〉

夢參老和尚系列
書 籍

● 地藏三經

地藏經

D506 地藏菩薩本願經講述 (全套三冊)
D516A 淺說地藏經大意

占察經

D509 占察善惡業報經講記 (附HIPS材質占察輪及修行手冊)
D512 占察善惡業報經新講

大乘大集地藏十輪經 D507 (全套六冊)

D507-1 地藏菩薩的止觀法門 (序品 第一冊)
D507-2 地藏菩薩的觀呼吸法門 (十輪品 第二冊)
D507-3 地藏菩薩的戒律法門 (無依行品 第三冊)
D507-4 地藏菩薩的解脫法門 (有依行品 第四冊)
D507-5 地藏菩薩的懺悔法門 (懺悔品 善業道品 第五冊)
D507-6 地藏菩薩的念佛法門 (福田相品 獲益囑累品 第六冊)

● 般 若

B411 般若波羅蜜多心經講述 (合輯本)
B406 金剛經
B409 淺說金剛經大意

● 開 示 錄

S902 修行 (第一集)
Q905 向佛陀學習 (第二集)
Q906 禪・簡單啟示 (第三集)
Q907 正念 (第四集)
Q908 觀照 (第五集)

方廣文化出版品目錄〈三〉

系列	編號	書名
地藏系列	D503	地藏三經(經文版) (地藏菩薩本願經、大乘大集地藏十輪經、占察善惡業報經)
	D511	占察善惡業報經行法(占察拜懺本)(中摺本)
華嚴系列	H201	華嚴十地經論
	H202	十住毘婆沙論
	H207	大方廣佛華嚴經(八十華嚴)(全套八冊)
般若系列	B402	小品般若經
	B403A	大乘理趣六波羅蜜多經
	B404A	能斷金剛經了義疏(附心經頌釋)
	B408	摩訶般若波羅蜜經(中品般若)(全套三冊)
天台系列	T302	摩訶止觀
	T303	無量義經(中摺本)
	T304	觀普賢菩薩行法經(中摺本)
部派論典系列	S901A	阿毘達磨法蘊足論
	Q704	阿毗達磨俱舍論(全套二冊)
	S903	法句經(古譯本)(中摺本)
瑜伽唯識系列	U801	瑜伽師地論(全套四冊)
	U802A	大乘阿毗達磨集論
	B803	成唯識論
	B804A	大乘百法明門論解疏
	B805	攝大乘論暨隨錄
憨山大師系列	HA01	楞嚴經通議(全套二冊)

大乘起信論淺述

雄渾的力量
璀璨的智慧
一部陳述老和尚思想
體系的核心論典

一部陳述夢參老和尚思想體系的核心論典，更是學習《大方廣佛華嚴經》（八十華嚴）的前方便功課；細細品讀本書，將會感受到一股修行人特有的雄渾力量與璀璨的智慧。

〈大乘起信論〉，深具完整嚴密的真常如來藏思想，自從梁真諦三藏法師譯成中文後，對中國大乘佛教的發展產生了巨大的影響，不論華嚴宗、天台宗、淨土宗、禪宗，均奉〈大乘起信論〉為圭臬。

而老和尚此次開講〈大乘起信論〉，是以他的親教師--慈舟老法師〈大乘起信論述記〉為參考，並將〈大乘起信論〉「一心二門三大九相」的義理，重新敷演展開，俾能建立學者成佛的信心，銷除修行上的疑惑。

編號: *HP01*　*ISBN*：*978-957-99970-3-4*
尺寸：*17x23*cm　裝訂：軟精裝 *416* 頁
定價：新台幣 *420* 元

方廣文化事業有限公司
Tel: (02)2392-0003
http://www.fangoan.com.tw